THE QUEEN OF SPADES

AND OTHER RUSSIAN STORIES

DUAL LANGUAGE READER

ENGLISH - RUSSIAN

THE QUEEN OF SPADES: by Alexander S. Pushkin
Translated by Charles Johnston

SLANDER: by Anton Chekhov
Translated by Herman Bernstein

THE THIEF: by Fydor Dostoyevsky
Translated by Lizzie B. Gorin

THE WITCH: by Anton Chekhov
Translated by Constance Garnett

DIARY OF A MADMAN: by Nikolai Gogol
Translated by Ethel Lilian Voynich (Boole)

EDITED BY JASON BRADLEY

For more language learning books visit our website:

www.StudyPubs.com

This compilation is a derivative work adapted from: "The Queen of Spades" 1833, by AlexanderPushkin, translated by Charles Johnston 1909. "The Slanderer" 1883, by Anton Chekhov, translated by Herman Bernstein 1901. "The Theif" 1860, by Fydor Dostoyevsky, translated by Lizzie B. Gorin 1907. "The Witch" 1885, by Anton Chekhov, translated by Constance Garnett 1918. "The Diary of a Madman" 1835, by Nikolai Gogol, translated by Ethel Lilian Voynich Boole 1895.
Cover design adapted from: "Elizabeth, Queen of Hearts" of pack of Henry IV playing cards, 1589-1610 and "Queen of Spades" of Crescent pack of playing cards, of Ancient Date. See "The History of Playing Cards" published 1865.
Edited by Jason Bradley

First Edition

ISBN-10 0983150338
ISBN-13 9780983150336
Library of Congress Control Number: 2011920972
Printed in the United States of America.

Editors Note

I attempted to organize this book in the most user-friendly manner, and hopefully after reading it you will agree.

Simply read the text of your own language first and then read the page containing the text in the language you are studying.

On all even numbered pages (left side), you'll find the English text and on all odd numbered pages (right side) the Russian text, each side containing a corresponding translation of the other. Thus, any idea being expressed on either the left or right page will have a corresponding expression, in a different language, on the opposite page.

Assume conflicts in grammar, if any, are resolved in English. Please notify admin@studypubs.com should you catch any errors.

-Jason Bradley, Editor

Contents

Содержание

The Queen of Spades

Alexander Pushkin

I

HERE was a card party at the rooms of Naroumoff, of the Horse Guards. The long winter night passed away imperceptibly, and it was five o'clock in the morning before the company sat down to supper. Those who had won ate with a good appetite; the others sat staring absently at their empty plates. When the champagne appeared, however, the conversation became more animated, and all took a part in it.

" And how did you fare, Souirin ? " asked the host.

" Oh, I lost, as usual. I must confess that I am unlucky. I play mirandole, I always keep cool, I never allow anything to put me out, and yet I always lose!"

" And you did not once allow yourself to be tempted to back the red? Your firmness astonishes me."

" But what do you think of Hermann?" said one of the guests, pointing to a young engineer. " He has never had a card in his hand in his life, he has never in his life laid a wager; and yet he sits here till five o'clock in the morning watching our play."

" Play interests me very much," said Hermann, " but I am not in the position to sacrifice the necessary in the hope of winning the superfluous."

" Hermann is a German; he is economical—that is all! " observed Tomsky. " But if there is one person that I cannot understand, it is my grandmother, the Countess Anna Fedorovna!"

" How so ? " inquired the guests.

" I cannot understand," continued Tomsky, " how it is that my grandmother does not punt."

Пиковая дама

Александр Пушкин

I

Однажды играли в карты у конногвардейца Нарумова. Долгая зимняя ночь прошла незаметно; сели ужинать в пятом часу утра. Те, которые остались в выигрыше, ели с большим аппетитом, прочие, в рассеянности, сидели перед пустыми своими приборами. Но шампанское явилось, разговор оживился, и все приняли в нем участие.

- Что ты сделал, Сурин? - спросил хозяин.

- Проиграл, по обыкновению. Надобно признаться, что я несчастлив: играю мирандолем, никогда не горячусь, ничем меня с толку не собьешь, а все проигрываюсь!

- И ты ни разу не соблазнился? ни разу не поставил на *руте*?.. Твердость твоя для меня удивительна.

- А каков Германн! - сказал один из гостей, указывая на молодого инженера, - отроду не брал он карты в руки, отроду не загнул ни одного пароли, а до пяти часов сидит с нами и смотрит на нашу игру!

- Игра занимает меня сильно, - сказал Германн, - но я не в состоянии жертвовать необходимым в надежде приобрести излишнее.

- Германн немец: он расчетлив, вот и все! - заметил Томский. - А если кто для меня непонятен, так это моя бабушка графиня Анна Федотовна.

- Как? что? - закричали гости.

- Не могу постигнуть, - продолжал Томский, - каким образом бабушка моя не понтирует!

- Да что ж тут удивительного, - сказал Нарумов, - что осьмидесятилетняя старуха не понтирует?

"Then you do not know the reason why ? "

"No, really; I haven't the faintest idea. "

But let me tell you the story. You must know that about sixty years ago my grandmother went to Paris, where she created quite a sensation. People used to run after her to catch a glimpse of the ' Muscovite Venus.' Richelieu made love to her, and my grandmother maintains that he almost blew out his brains in consequence of her cruelty. At that time ladies used to play at faro. On one occasion at the Court, she lost a very considerable sum to the Duke of Orleans. On returning home, my grandmother removed the patches from her face, took off her hoops, informed my grandfather of her loss at the gaming-table, and ordered him to pay the money. My deceased grandfather, as far as I remember, was a sort of house-steward to my grandmother. He dreaded her like fire; but, on hearing of such a heavy loss, he almost went out of his mind. He calculated the various sums she had lost, and pointed out to her that in six months she had spent half a million of francs; that neither their Moscow nor Saratoff estates were in Paris; and, finally, refused point-blank to pay the debt. My grandmother gave him a box on the ear and slept by herself as a sign of her displeasure. The next day she sent for her husband, hoping that this domestic punishment had produced an effect upon him, but she found him inflexible. For the first time in her life she entered into reasonings and explanations with him, thinking to be able to convince him by pointing out to him that there are debts and debts, and that there is a great difference between a prince and a coachmaker.

"But it was all in vain, my grandfather still remained obdurate. But the matter did not rest there. My grandmother did not know what to do. She had shortly before become acquainted with a very remarkable man. You have heard of Count St. Germain, about whom so many marvelous stories are told. You know that he represented himself as the Wandering Jew, as the discoverer of the elixir of life, of the philosopher's stone, and so forth. Some laughed at him as a charlatan; but Casnova, in

- Так вы ничего про нее не знаете?

- Нет! право, ничего!

- О, так послушайте:

Надобно знать, что бабушка моя, лет шестьдесят тому назад, ездила в Париж и была там в большой моде. Народ бегал за нею, чтоб увидеть Венера Москве; Ришелье за нею волочился, и бабушка уверяет, что он чуть было не застрелился от ее жестокости.

В то время дамы играли в фараон. Однажды при дворе она проиграла на слово герцогу Орлеанскому что-то очень много. Приехав домой, бабушка, отлепливая мушки с лица и отвязывая фижмы, объявила дедушке о своем проигрыше и приказала заплатить.

Покойный дедушка, сколько я помню, был род бабушкина дворецкого. Он ее боялся, как огня; однако, услышав о таком ужасном проигрыше, он вышел из себя, принес счеты, доказал ей, что в полгода они издержали полмиллиона, что под Парижем нет у них ни подмосковной, ни саратовской деревни, и начисто отказался от платежа. Бабушка дала ему пощечину и легла спать одна, в знак своей немилости.

На другой день она велела позвать мужа, надеясь, что домашнее наказание над ним подействовало, но нашла его непоколебимым. В первый раз в жизни она дошла с ним до рассуждений и объяснений; думала усовестить его, снисходительно доказывая, что долг долгу розь и что есть разница между принцем и каретником. - Куда! дедушка бунтовал. Нет, да и только! Бабушка не знала, что делать.

С нею был коротко знаком человек очень замечательный. Вы слышали о графе Сен-Жермене, о котором рассказывают так много чудесного. Вы знаете, что он выдавал себя за вечного жида, за изобретателя жизненного эликсира и философского камня, и прочая. Над ним смеялись, как над шарлатаном, а Казанова в

in his memoirs, says that he was a spy. But be that as it may, St. Germain, in spite of the mystery surrounding him, was a very fascinating person, and was much sought after in the best circles of society. Even to this day my grandmother retains an affectionate recollection of him, and becomes quite angry if anyone speaks disrespectfully of him. My grandmother knew that St. Germain had large sums of money at his disposal. She resolved to have recourse to him, and she wrote a letter to him asking him to come to her without delay. The queer old man immediately waited upon her, and found her overwhelmed with grief. She described to him in the blackest colors the barbarity of her husband, and ended by declaring that her whole hope depended upon his friendship and amiability.

St. Germain reflected.

" ' I could advance you the sum you want,' said he, ' but I know that you would not rest easy until you had paid me back, and I should not like to bring fresh troubles upon you. But there is another way of getting out of your difficulty : you can win back your money.'

" ' But, my dear Count,' replied my grandmother, ' I tell you that I haven't any money left!'

"' Money is not necessary,' replied St. Germain, ' be pleased to listen to me.'

" Then he revealed to her a secret, for which each of us would give a good deal."

The young officers listened with increased attention. Tomsky lit his pipe, puffed away for a moment, and then continued :

" That same evening my grandmother went to Versailles to the *jeu de la reine.* The Duke of Orleans kept the bank; my grandmother excused herself in an offhanded manner for not having yet paid her debt by inventing som» little story, and then began to play against him. She chosti three cards and played them one after the other; all threewon sonika, and my grandmother recovered every farthing that she lost."

своих Записках говорит, что он был шпион; впрочем, Сен-Жермен, несмотря на свою таинственность, имел очень почтенную наружность и был в обществе человек очень любезный. Бабушка до сих пор любит его без памяти и сердится, если говорят об нем с неуважением. Бабушка знала, что Сен-Жермен мог располагать большими деньгами. Она решилась к нему прибегнуть. Написала ему записку и просила немедленно к ней приехать.

Старый чудак явился тотчас и застал в ужасном горе. Она описала ему самыми черными красками варварство мужа и сказала наконец, что всю свою надежду полагает на его дружбу и любезность.

Сен-Жермен задумался.

"Я могу вам услужить этой суммою, - сказал он, - но знаю, что вы не будете спокойны, пока со мною не расплатитесь, а я бы не желал вводить вас в новые хлопоты. Есть другое средство: вы можете отыграться". - "Но, любезный граф, - отвечала бабушка, - я говорю вам, что у нас денег вовсе нет". - "Деньги тут не нужны, - возразил Сен-Жермен: - извольте меня выслушать". Тут он открыл ей тайну, за которую всякий из нас дорого бы дал...

Молодые игроки удвоили внимание. Томский закурил трубку, затянулся и продолжал.

В тот же самый вечер бабушка явилась в Версали, au jeu de la Reine. Герцог Орлеанский метал; бабушка слегка извинилась, что не привезла своего долга, в оправдание сплела маленькую историю и стала против него понтировать. Она выбрала три карты, поставила их одну за другою: все три выиграли ей соника, и бабушка отыгралась совершенно.

" Mere chance! " said one of the guests.

" A tale! " observed Hermann.

" Perhaps they were marked cards!" said a third.

" I do not think so," replied Tomsky, gravely.

" What! " said Naroumoff, " you have a grandmother who knows how to hit upon three lucky cards in succession, and you have never yet succeeded in getting the secret of it out of her?"

" That's the deuce of it! " replied Tomsky, " she had four sons, one of whom was my father; all four were determined gamblers, and yet not to one of them did she ever reveal her secret, although it would not have been a bad thing either for them or for me. But this is what I heard from my uncle, Count Ivan Hitch, and he assured me, on his honor, that it was true. The late Chaplitsky—the same who died in poverty after having squandered millions—once lost, in his youth, about three hundred thousand roubles —to Zoritch, if I remember rightly. He was in despair. My grandmother, who was always very severe upon the extravagance of young men, took pity, however, upon Chaplitsky. She gave him three cards telling him to play them one after the other, at the same time exacting from him a solemn promise that he would never play at cards again as long as he lived. Chaplitsky then went to his victorious opponent, and they began a fresh game. On the first card he staked fifty thousand roubles, and won sonika; he doubled the stake, and won again; till at last, by pursuing the same tactics, he won back more than he had lost."

" But it is time to go to bed, it is a quarter to six already." And, indeed, it was already beginning to dawn; the young men emptied their glasses and then took leave of each other.

- Случай! - сказал один из гостей.

- Сказка! - заметил Германн.

- Может статься, порошковые карты? - подхватил третий.

- Не думаю, - отвечал важно Томский.

- Как! - сказал Нарумов, - у тебя есть бабушка, которая угадывает три карты сряду, а ты до сих пор не перенял у ней ее кабалистики?

- Да, черта с два! - отвечал Томский, - у ней было четверо сыновей, в том числе и мой отец: все четыре отчаянные игроки, и ни одному не открыла она своей тайны; хоть это было бы не худо для них и даже для меня. Но вот что мне рассказывал дядя, граф Иван Ильич, и в чем он меня уверял честью. Покойный Чаплицкий, тот самый, который умер в нищете, промотав миллионы, однажды в молодости своей проиграл - помнится Зоричу - около трехсот тысяч. Он был в отчаянии. Бабушка, которая всегда была строга к шалостям молодых людей, как-то сжалилась над Чаплицким. Она дала ему три карты, с тем, чтоб он поставил их одну за другою, и взяла с него честное слово впредь уже никогда не играть. Чаплицкий явился к своему победителю: они сели играть. Чаплицкий поставил на первую карту пятьдесят тысяч и выиграл соника; загнул пароли, пароли-пе, - отыгрался и остался еще в выигрыше...

Однако пора спать: уже без четверти шесть.

В самом деле, уж рассветало: молодые люди допили свои рюмки и разъехались.

II

THE old Countess A was seated in her dressingroom in front of her looking-glass. Three waiting maids stood around her. One held a small pot of rouge, another a box of hairpins, and the third a tall cap with bright red ribbons. The Countess had no longer the slightest pretensions to beauty, but she still preserved the habits of her youth, dressed in strict accordance with the fashion of seventy years before, and made as long and as careful a toilette as she would have done sixty years previously. Near the window, at an embroidery frame, sat a young lady, her ward.

" Good-morning, grandmamma," said a young officer, entering the room. " *Bon jour,*Mademoiselle Lise. Grandmamma, I want to ask you something."

"What is it, Paul?"

" I want you to let me introduce one of my friends to you, and to allow me to bring him to the ball on Friday."

" Bring him direct to the ball and introduce him to me there. Were you at B 's yesterday ? "

" Yes; everything went off very pleasantly, and dancing was kept up until five o'clock. How charming Eletskaia was!"

" But, my dear, what is there charming about her ? Isn't she like her grandmother, the Princess Daria Petrovna ? By the way, she must be very old, the Princess Daria Petrovna ? "

" How do you mean, old ? " cried Tomsky, thoughtlessly, " she died seven years ago."

The young lady raised her head, and made a sign to the young officer. He then remembered that the old Countess was never to be informed of the death of her contemporaries, and he bit his lips. But the old Countess heard the news with the greatest indifference.

" Dead !" said she," and I did not know it We were appointed maids of honor at the same time, and when we were presented to the Empress "

II

Старая графиня сидела в своей уборной перед зеркалом. Три девушки окружали ее. Одна держала банку румян, другая коробку со шпильками, третья высокий чепец с лентами огненного цвета. Графиня не имела ни малейшего притязания на красоту давно увядшую, но сохраняла все привычки своей молодости, строго следовала модам семидесятых годов и одевалась так же долго, так же старательно, как и шестьдесят лет тому назад. У окошка сидела за пяльцами барышня, ее воспитанница.

- Здравствуйте, grand'maman, - сказал, вошедши, молодой офицер. - Bon jour, mademoiselle Lise. Grand'maman, я к вам с просьбою.

- Что такое, Пол?

- Позвольте вам представить одного из моих приятелей и привезти его к вам в пятницу на бал.

- Привези мне его прямо на бал, и тут мне его и представишь. Был ты вчерась у?

- Как же! очень было весело; танцевали до пяти часов. Как хороша была Елецкая!

- И, мой милый! Что в ней хорошего? Такова ли была ее бабушка, княгиня Дарья Петровна?.. Кстати: я чай, она уж очень постарела, княгиня Дарья Петровна?

- Как постарела? - отвечал рассеянно Томский, - она лет семь как умерла.

Барышня подняла голову и сделала знак молодому человеку. Он вспомнил, что от старой графини таили смерть ее ровесниц, и закусил себе губу. Но графиня услышала весть, для нее новую, с большим равнодушием.

- Умерла! - сказала она, - а я и не знала! Мы вместе были пожалованы во фрейлины, и когда мы представились, то государыня...

And the Countess for the hundredth time related to her grandson one of her anecdotes.

" Come, Paul," said she, when she had finished her story, " help me to get up. Lizanka, where is my snuffbox ? "

And the Countess with her three maids went behind a screen to finish her toilette. Tomsky was left alone with the young lady.

" Who is the gentleman you wish to introduce to the Countess ? " asked Lizaveta Ivanovna in a whisper.

" Naroumoff. Do you know him ? "

" No. Is he a soldier or a civilian ? "

"A soldier."

" Is he in the Engineers ? "

" No, in the Cavalry. What made you think that he was in the Engineers ? "

The young lady smiled, but made no reply.

" Paul," cried the Countess from behind the screen, " send me some new novel, only pray don't let it be one of the present day style."

" What do you mean, grandmother ? "

" That is, a novel, in which the hero strangles neither his father nor his mother, and in which there are no drowned bodies. I have a great horror of drowned persons."

" There are no such novels nowadays. Would you like a Russian one?"

" Are there any Russian novels ? Send me one, my dear, pray send me one! "

" Good-by, grandmother. I am in a hurry. . . . Goodby, Lizavetta Ivanovna. What made you think that Naroumoff was in the Engineers ? "

And Tomsky left the boudoir.

И графиня в сотый раз рассказала внуку свой анекдот.

- Ну, Paul, - сказала она потом, - теперь помоги мне встать. Лизанька, где моя табакерка?

И графиня со своими девушками пошла за ширмами оканчивать свой туалет. Томский остался с барышнею.

- Кого это вы хотите представить? - тихо спросила Лизавета Ивановна.

- Нарумова. Вы его знаете?

- Нет! Он военный или статский?

- Военный.

- Инженер?

- Нет! кавалерист. А почему вы думали, что он инженер?

Барышня засмеялась и не отвечала ни слова.

- Paul! - закричала графиня из-за ширмов, - пришли мне какой-нибудь новый роман, только, пожалуйста, не из нынешних.

- Как это, grand'maman?

- То есть такой роман, где бы герой не давил ни отца, ни матери и где бы не было утопленных тел. Я ужасно боюсь утопленников!

- Таких романов нынче нет. Не хотите ли разве русских?

- А разве есть русские романы?.. Пришли, батюшка, пожалуйста пришли!

- Простите, grand'maman: я спешу... Простите, Лизавета Ивановна! Почему же вы думали, что Нарумов инженер?

И Томский вышел из уборной.

Lizaveta Ivanovna was left alone. She laid aside her work, and began to look out of the window. A few moments afterwards, at a corner house on the other side of the street, a young officer appeared. A deep flush covered her cheeks; she took up her work again, and bent her head down over the frame. At the same moment the Countess returned, completely dressed.

" Order the carriage, Lizaveta," said she, " we will go out for a drive."

Lizaveta rose from the frame, and began to arrange her work.

" What is the matter with you, my child, are you deaf ? " cried the Countess. " Order the carriage to be got ready at once."

" I will do so this moment," replied the young lady, hastening into the anteroom.

A servant entered and gave the Countess some books from Prince Paul Alexandrovitch.

" Tell him that I am much obliged to him," said the Countess. " Lizaveta! Lizaveta! where are you running to ? "

" I am going to dress."

" There is plenty of time, my dear. Sit down here. Open the first volume and read to me aloud."

Her companion took the book and read a few lines.

" Louder," said the Countess. " What is the matter with you, my child ? Have you lost your voice ? Wait Give me that footstool—a little nearer—that will do! "

Lizaveta read two more pages. The Countess yawned.

" Put the book down," said she, " what a lot of nonsense! Send it back to Prince Paul with my thanks. . . . But where is the carriage ? "

" The carriage is ready," said Lizaveta, looking out into the street.

Лизавета Ивановна осталась одна: она оставила работу и стала глядеть в окно. Вскоре на одной стороне улицы из-за угольного дома показался молодой офицер. Румянец покрыл ее щеки: она принялась опять за работу и наклонила голову над самой канвою. В это время вошла графиня, совсем одетая.

- Прикажи, Лизанька, - сказала она, - карету закладывать, и поедем прогуляться.

Лизанька встала из-за пяльцев и стала убирать свою работу.

- Что ты, мать моя! глуха, что ли! - закричала графиня. - Вели скорей закладывать карету.

- Сейчас! - отвечала тихо барышня и побежала в переднюю.

Слуга вошел и подал графине книги от князя Павла Александровича.

- Хорошо! Благодарить,- сказала графиня. - Лизанька, Лизанька! да куда ж ты бежишь?

- Одеваться.

- Успеешь, матушка. Сиди здесь. Раскрой-ка первый том; читай вслух...

Барышня взяла книгу и прочла несколько строк.

- Громче! - сказала графиня. - Что с тобою, мать моя? с голосу спала, что ли?.. Погоди: подвинь мне скамеечку, ближе... ну!

Лизавета Ивановна прочла еще две страницы. Графиня зевнула.

- Брось эту книгу, - сказала она, - что за вздор! Отошли это князю Павлу и вели благодарить... Да что ж карета?

- Карета готова, - сказала Лизавета Ивановна, взглянув на улицу.

"How is it that you are not dressed ? " said the Countess. " I must always wait for you. It is intolerable, my dear!"

Liza hastened to her room. She had not been there two minutes before the Countess bcgan to ring with all her might. The three waiting-maids came running in at one door, and the valet at another.

" How is it that you cannot hear me when I ring for you ? " said the Countess. " Tell Lizaveta Ivanovna that I am waiting for her."

Lizaveta returned with her hat and cloak on.

" At last you are here! " said the Countess. " But why; such an elaborate toilette ? Whom do you intend to captivate ? What sort of weather is it ? It seems rather windy."

" No, your Ladyship, it is very calm," replied the valet.

" You never think of what you are talking about. Open the window. So it is; windy and bitterly cold. Unharness the horses, Lizaveta, we won't go out—there was no need to deck yourself like that."

" What a life is mine! " thought Lizaveta Ivanovna.

And, in truth, Lizaveta Ivanovna was a very unfortunate creature. " The bread of the stranger is bitter," says Dante, " and his staircase hard to climb." But who can know what the bitterness of dependence is so well as the poor companion of an old lady of quality ? The Countess A had by no means a bad heart, but she was capricious, like a woman who had been spoiled by the world, as well as being avaricious and egotistical, like all old people, who have seen their best days, and whose thoughts are with the past, and not the present. She participated in all the vanities of the great world, went to balls, where she sat in a corner, painted and dressed in old-fashioned style, like a deformed but indispensable ornament of the ballroom; all the guests on entering approached her and made a profound bow, as if in accordance with a set ceremony, but after that nobody took any further notice of her.

- Что ж ты не одета? - сказала графиня, - всегда надобно тебя ждать! Это, матушка, несносно.

Лиза побежала в свою комнату. Не прошло двух минут, графиня начала звонить изо всей мочи. Три девушки вбежали в одну дверь, а камердинер в другую.

- Что это вас не докличешься? - сказала им графиня. - Сказать Лизавете Ивановне, что я ее жду.

Лизавета Ивановна вошла в капоте и в шляпке.

- Наконец, мать моя! - сказала графиня. - Что за наряды! Зачем это?.. кого прельщать?.. А какова погода? - кажется, ветер.

- Никак нет-с, ваше сиятельство! очень тихо-с! - отвечал камердинер.

- Вы всегда говорите наобум! Отворите форточку. Так и есть: ветер! и прехолодный! Отложить карету! Лизанька, мы не поедем: нечего было наряжаться.

"И вот моя жизнь!" - подумала Лизавета Ивановна.

В самом деле, Лизавета Ивановна была пренесчастное создание. Горек чужой хлеб, говорит Данте, и тяжелы ступени чужого крыльца, а кому и знать горечь зависимости, как не бедной воспитаннице знатной старухи? Графиня , конечно, не имела злой души; но была своенравна, как женщина, избалованная светом, скупа и погружена в холодный эгоизм, как и все старые люди, отлюбившие в свой век и чуждые настоящему. Она участвовала во всех суетностях большого света, таскалась на балы, где сидела в углу, разрумяненная и одетая по старинной моде, как уродливое и необходимое украшение бальной залы; к ней с низкими поклонами подходили приезжающие гости, как по установленному обряду, и потом уже никто ею не занимался.

She received the whole town at her house, and observed the strictest etiquette, although she could no longer recognize the faces of people. Her numerous domestics, growing fat and old in her antechamber and servants' hall, did just as they liked, and vied with each other in robbing the aged Countess in the most bare-faced manner. Lizaveta Ivanovna was the martyr of the household. She made tea, and was reproached with using too much sugar; she read novels aloud to the Countess, and the faults of the author were visited upon her head; she accompanied the Countess in her walks, and was held answerable for the weather or the state of the pavement. A salary was attached to the post, but she very rarely received it, although she was expected to dress like everybody else, that is to say, like very few indeed. In society she played the most pitiable role. Everybody knew her, and nobody paid her any attention. At balls she danced only when a partner was wanted, and ladies would only take hold of her arm when it was necessary to lead her out of the room to attend to their dresses. She was very self-conscious, and felt her position keenly, and she looked about her with impatience for a deliverer to come to her rescue; but the young men, calculating in their giddiness, honored her with but very little attention, although Lizaveta Ivanovna was a hundred times prettier than the bare-faced, coldhearted marriageable girls around whom they hovered. Many a time did she quietly slink away from the glittering, but wearisome, drawing-room, to go and cry in her own poor little room, in which stood a screen, a chest of drawers, a looking-glass, and a painted bedstead, and where a tallow candle burnt feebly in a copper candle-stick.

One morning—this was about two days after the evening party described at the beginning of this story, and a week previous to the scene at which we have just assisted—Lizaveta Ivanovna was seated near the window at her embroidery frame, when, happening to look out into the street, she caught sight of a young Engineer officer, standing motionless with his eyes fixed upon her window. She lowered her head, and went on again with her work.

У себя принимала она весь город, наблюдая строгий этикет и не узнавая никого в лицо. Многочисленная челядь ее, разжирев и поседев в ее передней и девичьей, делала, что хотела, наперерыв обкрадывая умирающую старуху. Лизавета Ивановна была домашней мученицею. Она разливала чай и получала выговоры за лишний расход сахара; она вслух читала романы и виновата была во всех ошибках автора; она сопровождала графиню в ее прогулках и отвечала за погоду и за мостовую. Ей было назначено жалованье, которое никогда не доплачивали; а между тем требовали от нее, чтоб она одета была, как и все, то есть как очень немногие. В свете играла она самую жалкую роль. Все ее знали и никто не замечал; на балах она танцевала только тогда, как недоставало vis-à-vis, и дамы брали ее под руку всякий раз, как им нужно было идти в уборную поправить что-нибудь в своем наряде. Она была самолюбива, живо чувствовала свое положение и глядела кругом себя, - с нетерпением ожидая избавителя; но молодые люди, расчетливые в ветреном своем тщеславии, не удостоивали ее внимания, хотя Лизавета Ивановна была сто раз милее наглых и холодных невест, около которых они увивались. Сколько раз, оставя тихонько скучную и пышную гостиную, она уходила плакать в бедной своей комнате, где стояли ширмы, оклеенные обоями, комод, зеркальце и крашеная кровать и где сальная свеча темно горела в медном шандале!

Однажды - это случилось два дня после вечера, описанного в начале этой повести, и за неделю перед той сценой, на которой мы остановились, - однажды Лизавета Ивановна, сидя под окошком за пяльцами, нечаянно взглянула на улицу и увидела молодого инженера, стоящего неподвижно и устремившего глаза к ее окошку. Она опустила голову и снова занялась работой;

About five minutes afterwards she looked out again—the young officer was still standing in the same place. Not being in the habit of coquetting with passing officers, she did not continue to gaze out into the street, but went on sewing for a couple of hours, without raising her head. Dinner was announced. She rose up and began to put her embroidery away, but glancing casually out of the window, she perceived the officer again. This seemed to her very strange. After dinner she went to the window with a certain feeling of uneasiness, but the officer was no longer there—and she thought no more about him.

A couple of days afterwards, just as she was stepping into the carriage with the Countess, she saw him again. He was standing close behind the door, with his face half-concealed by his fur collar, but his dark eyes sparkled beneath his cap. Lizaveta felt alarmed, though she knew not why, and she trembled as she seated herself in the carriage.

On returning home, she hastened to the window—the officer was standing in his accustomed place, with his eyes fixed upon her. She drew back, a prey to curiosity, and agitated by a feeling which was quite new to her.

From that time forward not a day passed without the young officer making his appearance under the window at the customary hour, and between him and her there was established a sort of mute acquaintance. Sitting in her place at work, she used to feel his approach, and, raising her head, she would look at him longer and longer each day. The young man seemed to be very grateful to her; she saw with the sharp eye of youth, how a sudden flush covered his pale cheeks each time that their glances met. After about a week she commenced to smile at him. . . .

When Tomsky asked permission of his grandmother, the Countess, to present one of his friends to her, the young girl's heart beat violently. But hearing that Naroumoff was not an Engineer, she regretted that by her thoughtless question, she had betrayed her secret to the volatile Tomsky.

через пять минут взглянула опять - молодой офицер стоял на том же месте. Не имея привычки кокетничать с прохожими офицерами, она перестала глядеть на улицу и шила около двух часов, не приподнимая головы. Подали обедать. Она встала, начала убирать свои пяльцы и, взглянув нечаянно на улицу, опять увидела офицера. Это показалось ей довольно странным. После обеда она подошла к окошку с чувством некоторого беспокойства, но уже офицера не было, - и она про него забыла...

Дня через два, выходя с графиней садиться в карету, она опять его увидела. Он стоял у самого подъезда, закрыв лицо бобровым воротником: черные глаза его сверкали из-под шляпы. Лизавета Ивановна испугалась, сама не зная чего, и села в карету с трепетом неизъяснимым.

Возвратясь домой, она подбежала к окошку, - офицер стоял на прежнем месте, устремив на нее глаза: она отошла, мучась любопытством и волнуемая чувством, для нее совершенно новым.

С того времени не проходило дня, чтоб молодой человек, в известный час, не являлся под окнами их дома. Между им и ею учредились неусловленные сношения. Сидя на своем месте за работой, она чувствовала его приближение, - подымала голову, смотрела на него с каждым днем долее и долее. Молодой человек, казалось, был за то ей благодарен: она видела острым взором молодости, как быстрый румянец покрывал его бледные щеки всякий раз, когда взоры их встречались. Через неделю она ему улыбнулась...

Когда Томский спросил позволения представить графине своего приятеля, сердце бедной девушки забилось. Но узнав, что Нарумов не инженер, а конногвардеец, она сожалела, что нескромным вопросом высказала свою тайну ветреному Томскому.

Hermann was the son of a German who had become a naturalized Russian, and from whom he had inherited a small capital. Being firmly convinced of the necessity of preserving his independence, Hermann did not touch his private income, but lived on his pay, without allowing himself the slightest luxury. Moreover, he was reserved and ambitious, and his companions rarely had an opportunity of making merry at the expense of his extreme parsimony. He had strong passions and an ardent imagination, but his firmness of disposition preserved him from the ordinary errors of young men. Thus, though a gamester at heart, he never touched a card, for he considered his position did not allow him—as he said—" to risk the necessary in the hope of winning the superfluous," yet he would sit for nights together at the card table and follow with feverish anxiety the different turns of the game.

The story of the three cards had produced a powerful impression upon his imagination, and all night long he could think of nothing else. " If," he thought to himself the following evening, as he walked along the streets of St. Petersburg, " if the old Countess would not reveal her secret to me! If she would only tell me the names of the three winning cards. Why should I not try my fortune ? I must get introduced to her and win her favor—become her lover. . . . But all that will take time, and she is eightyseven years old. She might be dead in a week, in a couple of days even. But the story itself ? Can it really be true ? No! Economy, temperance, and industry; those are my three winning cards; by means of them I shall be able to double my capital—increase it sevenfold, and procure for myself ease and independence."

Musing in this manner, he walked on until he found himself in one of the principal streets of St. Petersburg, in front of a house of antiquated architecture. The street was blocked with equipages; carriages one after the other drew up in front of the brilliantly illuminated doorway. At one moment there stepped out onto the pavement the wellshaped little foot of some young beauty, at another the heavy boot of a cavalry officer, and then the silk stockings and shoes of a member of the diplomatic world. Fur and cloaks

Германн был сын обрусевшего немца, оставившего ему маленький капитал. Будучи твердо убежден в необходимости упрочить свою независимость, Германн не касался и процентов, жил одним жалованьем, не позволял себе малейшей прихоти. Впрочем, он был скрытен и честолюбив, и товарищи его редко имели случай посмеяться над его излишней бережливостью. Он имел сильные страсти и огненное воображение, но твердость спасла его от обыкновенных заблуждений молодости. Так, например, будучи в душе игрок, никогда не брал он карты в руки, ибо рассчитал, что его состояние не позволяло ему жертвовать необходимым в надежде приобрести излишнее, - а между тем целые ночи просиживал за карточными столами и следовал с лихорадочным трепетом за различными оборотами игры.

Анекдот о трех картах сильно подействовал на его воображение и целую ночь не выходил из его головы. "Что, если, - думал он на другой день вечером, бродя по Петербургу, - что, если старая графиня откроет мне свою тайну! - или назначит мне эти три верные карты! Почему ж не попробовать своего счастия?.. Представиться ей, подбиться в ее милость, - пожалуй, сделаться ее любовником, - но на это все требуется время - а ей восемьдесят семь лет, - она может умереть через неделю, - через два дня!.. Да и самый анекдот?.. Можно ли ему верить?.. Нет! расчет, умеренность и трудолюбие: вот мои три верные карты, вот что утроит, усемерит мой капитал и доставит мне покой и независимость!"

Рассуждая таким образом, очутился он в одной из главных улиц Петербурга, перед домом старинной архитектуры. Улица была заставлена экипажами, кареты одна за другою катились к освещенному подъезду. Из карет поминутно вытягивались то стройная нога молодой красавицы, то гремучая ботфорта, то полосатый чулок и дипломатический башмак. Шубы и плащи

passed in rapid succession before the gigantic porter at the entrance. Hermann stopped. " Whose house is this ? " he asked of the watchman at the corner.

" The Countess's," replied the watchman.

Hermann started. The strange story of the three cards again presented itself to his imagination. He began walking up and down before the house, thinking of its owner and her strange secret. Returning late to his modest lodging, he could not go to sleep for a long time, and when at last he did doze off, he could dream of nothing but cards, green tables, piles of banknotes, and heaps of ducats. He played one card after the other, winning uninterruptedly, and then he gathered up the gold and filled his pockets with the notes. When he woke up late the next morning, he sighed over the loss of his imaginary wealth, and then sallying out into the town, he found himself once more in front of the Countess's residence. Some unknown power seemed to have attracted him thither. He stopped and looked up at the windows. At one of these he saw a head with luxuriant black hair, which was bent down, probably over some book or an embroidery frame. The head was raised. Hermann saw a fresh complexion, and a pair of dark eyes. That moment decided his fate.

мелькали мимо величавого швейцара. Германн остановился.

- Чей это дом? - спросил он у углового будочника.

- Графини, - отвечал будочник.

Германн затрепетал. Удивительный анекдот снова представился его воображению. Он стал ходить около дома, думая об его хозяйке и о чудной ее способности. Поздно воротился он в смиренный свой уголок; долго не мог заснуть, и, когда сон им овладел, ему пригрезились карты, зеленый стол, кипы ассигнаций и груды червонцев. Он ставил карту за картой, гнул углы решительно, выигрывал беспрестанно, и загребал к себе золото, и клал ассигнации в карман. Проснувшись уже поздно, он вздохнул о потере своего фантастического богатства, пошел опять бродить по городу и опять очутился перед домом графини. Неведомая сила, казалось, привлекала его к нему. Он остановился и стал смотреть на окна. В одном увидел он черноволосую головку, наклоненную, вероятно, над книгой или над работой. Головка приподнялась. Германн увидел свежее личико и черные глаза. Эта минута решила его участь.

III

LIZAVETA IVANOVNA had scarcely taken off her hat and cloak, when the Countess sent for her, and again ordered her to get the carriage ready. The vehicle drew up before the door, and they prepared to take their seats. Just at the moment when two footmen were assisting the old lady to enter the carriage, Lizaveta saw her Engineer standing close beside the wheel; he grasped her hand; alarm caused her to lose her presence of mind, and the young man disappeared—but not before he had left a letter between her fingers. She concealed it in her glove, and during the whole of the drive she neither saw nor heard anything. It was the custom of the Countess, when out for an airing in her carriage, to be constantly asking such questions as " Who was that person that met us just now? What is the name of this bridge? What is written on that signboard ? " On this occasion, however, Lizaveta returned such vague and absurd answers, that the Countess became angry with her.

" What is the matter with you, my dear ? " she exclaimed. " Have you taken leave of your senses, or what is it? Do you not hear me or understand what I say? Pleaven be thanked, I am still in my right mind and speak plainly enough !"

Lizaveta Ivanovna did not hear her. On returning home she ran to her room, and drew the letter out of her glove: it was not sealed. Lizaveta read it. The letter contained a declaration of love; it was tender, respectful, and copied word for word from a German novel. But Lizaveta did not know anything of the German language, and she was quite delighted.

For all that, the letter caused her to feel exceedingly uneasy. For the first time in her life she was entering into secret and confidential relations with a young man. His boldness alarmed her. She reproached herself for her imprudent behavior, and knew not what to do. Should she cease to sit at the window, and, by assuming an appearance of indifference towards him, put a check upon the young officer's desire for further acquaintance with her? Should she send his letter back to him, or should she answer him in a cold and decided manner?

III

Только Лизавета Ивановна успела снять капот и шляпу, как уже графиня послала за нею и велела опять подавать карету. Они пошли садиться. В то самое время, как два лакея приподняли старуху и просунули в дверцы, Лизавета Ивановна у самого колеса увидела своего инженера; он схватил ее руку; она не могла опомниться от испугу, молодой человек исчез: письмо осталось в ее руке. Она спрятала его за перчатку и во всю дорогу ничего не слыхала и не видала. Графиня имела обыкновение поминутно делать в карете вопросы: кто это с нами встретился? - как зовут этот мост? - что там написано на вывеске? Лизавета Ивановна на сей раз отвечала наобум и невпопад и рассердила графиню.

- Что с тобою сделалось, мать моя! Столбняк ли на тебя нашел, что ли? Ты меня или не слышишь, или не понимаешь?.. Слава богу, я не картавлю и из ума еще не выжила!

Лизавета Ивановна ее не слушала. Возвратясь домой, она побежала в свою комнату, вынула из-за перчатки письмо: оно было не запечатано. Лизавета Ивановна его прочитала. Письмо содержало в себе признание в любви: оно было нежно, почтительно и слово в слово взято из немецкого романа. Но Лизавета Ивановна по-немецки не умела и была очень им довольна.

Однако принятое ею письмо беспокоило ее чрезвычайно. Впервые входила она в тайные, тесные сношения с молодым мужчиною. Его дерзость ужасала ее. Она упрекала себя в неосторожном поведении и не знала, что делать: перестать ли сидеть у окошка и невниманием охладить в молодом офицере охоту к дальнейшим преследованиям? - отослать ли ему письмо? - отвечать ли холодно и решительно?

There was nobody to whom she could turn in her perplexity, for she had neither female friend nor adviser. At length she resolved to reply to him.

She sat down at her little writing table, took pen and paper, and began to think. Several times she began her letter and then tore it up; the way she had expressed herself seemed to her either too inviting or too cold and decisive. At last she succeeded in writing a few lines with which she felt satisfied.

" I am convinced," she wrote, " that your intentions are honorable, and that you do not wish to offend me by any imprudent behavior, but our acquaintance must not begin in such a manner. I return you your letter, and I hope that I shall never have any cause to complain of this undeserved slight."

The next day, as soon as Hermann made his appearance, Lizaveta rose from her embroidery, went into the drawing-room, opened the ventilator, and threw the letter into the street, trusting that the young officer would have the perception to pick it up.

Hermann hastened forward, picked it up, and then repaired to a confectioner's shop. Breaking the seal of the envelope, he found inside it his own letter and Lizaveta's reply. He had expected this, and he returned home, his mind deeply occupied with his intrigue.

Three days afterwards a bright-eyed young girl from a milliner's establishment brought Lizaveta a letter. Lizaveta opened it with great uneasiness, fearing that it was a demand for money, when, suddenly, she recognized Hermann's handwriting.

" You have made a mistake, my dear," said she. " This letter is not for me."

" Oh, yes, it is for you," replied the girl, smiling very knowingly. " Have the goodness to read it."

Lizaveta glanced at the letter. Hermann requested an interview.

Ей не с кем было посоветоваться, у ней не было ни подруги, ни наставницы. Лизавета Ивановна решилась отвечать.

Она села за письменный столик, взяла перо, бумагу - и задумалась. Несколько раз начинала она свое письмо, - и рвала его: то выражения казались ей слишком снисходительными, то слишком жестокими. Наконец ей удалось написать несколько строк, которыми она осталась довольна. "Я уверена, - писала она, - что вы имеете честные намерения и что вы не хотели оскорбить меня необдуманным поступком; но знакомство наше не должно бы начаться таким образом. Возвращаю вам письмо ваше и надеюсь, что не буду впредь иметь причины жаловаться на незаслуженное неуважение".

На другой день, увидя идущего Германна, Лизавета Ивановна встала из-за пяльцев, вышла в залу, отворила форточку и бросила письмо на улицу, надеясь на проворство молодого офицера. Германн подбежал, поднял его и вошел в кондитерскую лавку. Сорвав печать, он нашел свое письмо и ответ Лизаветы Ивановны. Он того и ожидал и возвратился домой, очень занятый своей интригою.

Три дня после того Лизавете Ивановне молоденькая, быстроглазая мамзель принесла записочку из модной лавки. Лизавета Ивановна открыла ее с беспокойством, предвидя денежные требования, и вдруг узнала руку Германна.

- Вы, душенька, ошиблись, - сказала она, - эта записка не ко мне.

- Нет, точно к вам! - отвечала смелая девушка, не скрывая лукавой улыбки. - Извольте прочитать!

Лизавета Ивановна пробежала записку. Германн требовал свидания.

" It cannot be," she cried, alarmed at the audacious request and the manner in which it was made. " This letter is certainly not for me," and she tore it into fragments.

"If the letter was not for you, why have you torn it up ? " said the girl. " I should have given it back to the person who sent it."

" Be good enough, my dear," said Lizaveta, disconcerted by this remark, " not to bring me any more letters for the future, and tell the person who sent you that he ought to be ashamed."

But Hermann was not the man to be thus put off. Every day Lizaveta received from him a letter, sent now in this way, now in that. They were no longer translated from the German. Hermann wrote them under the inspiration of passion, and spoke in his own language, and they bore full testimony to the inflexibility of his desire, and the disordered condition of his uncontrollable imagination. Lizaveta no longer thought of sending them back to him; she became intoxicated with them, and began to reply to them, and little by little her answers became longer and more affectionate. At last she threw out of the window to him the following letter:

" This evening there is going to be a ball at the Embassy. The Countess will be there. We shall remain until two o'clock. You have now an opportunity of seeing me alone. As soon as the Countess is gone, the servants will very probably go out, and there will be nobody left but the Swiss, but he usually goes to sleep in his lodge. Come about half-past eleven. Walk straight upstairs. If you meet anybody in the anteroom, ask if the Countess is at home. You will be told ' No,' in which case there will be nothing left for you to do but to go away again. But it is most probable that you will meet nobody. The maidservants will all be together in one room. On leaving the .anteroom, turn to the left, and walk straight on until you reach the Countess's bedroom. In the bedroom, behind a screen, you will find two doors: the one on the right leads to a cabinet, which the Countess never enters; the one on the left leads to a corridor, at the end of which is a little winding staircase; this leads to my room."

- Не может быть! - сказала Лизавета Ивановна, испугавшись и поспешности требований и способу, им употребленному. - Это писано, верно, не ко мне! - И разорвала письмо в мелкие кусочки.

- Коли письмо не к вам, зачем же вы его разорвали? - сказала мамзель, - я бы возвратила его тому, кто его послал.

- Пожалуйста, душенька! - сказала Лизавета Ивановна, вспыхнув от ее замечания, - вперед ко мне записок не носите. А тому, кто вас послал, скажите, что ему должно быть стыдно...

Но Германн не унялся. Лизавета Ивановна каждый день получала от него письма, то тем, то другим образом. Они уже не были переведены с немецкого. Германн их писал, вдохновенный страстию, и говорил языком, ему свойственным: в них выражались и непреклонность его желаний, и беспорядок необузданного воображения. Лизавета Ивановна уже не думала их отсылать: она упивалась ими; стала на них отвечать, - и ее записки час от часу становились длиннее и нежнее. Наконец она бросила ему в окошко следующее письмо:

"Сегодня бал у ского посланника. Графиня там будет. Мы останемся часов до двух. Вот вам случай увидеть меня наедине. Как скоро графиня уедет, ее люди, вероятно, разойдутся, в сенях останется швейцар, но и он обыкновенно уходит в свою каморку. Приходите в половине двенадцатого. Ступайте прямо на лестницу. Коли вы найдете кого в передней, то вы спросите, дома ли графиня. Вам скажут нет, - и делать нечего. Вы должны будете воротиться. Но, вероятно, вы не встретите никого. Девушки сидят у себя, все в одной комнате. Из передней ступайте налево, идите все прямо до графининой спальни. В спальне за ширмами увидите две маленькие двери: справа в кабинет, куда графиня никогда не входит; слева в коридор, и тут же узенькая витая лестница: она ведет в мою комнату".

Hermann trembled like a tiger as he waited for the appointed time to arrive. At ten o'clock in the evening he was already in front of the Countess's house. The weather was terrible; the wind blew with great violence, the sleety snow fell in large flakes, the lamps emitted a feeble light, the streets were deserted; from time to time a sledge drawn by a sorry-looking hack, passed by on the lookout for a belated passenger. Hermann was enveloped in a thick overcoat, and felt neither wind nor snow.

At last the Countess's carriage drew up. Hermann saw two footmen carry out in their arms the bent form of the old lady, wrapped in sable fur, and immediately behind her, clad in a warm mantle, and with her head ornamented with a wreath of fresh flowers, followed Lizaveta. The door was closed. The carriage rolled heavily away through the yielding snow. The porter shut the street door, the windows became dark.

Hermann began walking up and down near the deserted house; at length he stopped under a lamp, and glanced at his watch: it was twenty minutes past eleven. He remained standing under the lamp, his eyes fixed upon the watch impatiently waiting for the remaining minutes to pass. At half-past eleven precisely Hermann ascended the steps of the house and made his way into the brightly-illuminated vestibule. The porter was not there. Hermann hastily ascended the staircase, opened the door of the anteroom, and saw a footman sitting asleep in an antique chair by the side of a lamp. With a light, firm step Hermann passed by him. The drawing-room and dining-room were in darkness, but a feeble reflection penetrated thither from the lamp in the anteroom.

Hermann reached the Countess's bedroom. Before a shrine, which was full of old images, a golden lamp was burning. Faded stuffed chairs and divans with soft cushions stood in melancholy symmetry around the room, the walls of which were hung with china silk. On one side of the room hung two portraits painted in Paris by Madame Lebrun. One of these represented a stout, red-faced man of about forty years of age, in a bright green uniform, and with a star upon his breast; the other—a beautiful young woman, with an aquiline nose, forehead curls, and a rose in her powdered hair.

Германн трепетал, как тигр, ожидая назначенного времени. В десять часов вечера он уж стоял перед домом графини. Погода была ужасная: ветер выл, мокрый снег падал хлопьями; фонари светились тускло; улицы были пусты. Изредка тянулся Ванька на тощей кляче своей, высматривая запоздалого седока. Германн стоял в одном сертуке, не чувствуя ни ветра, ни снега. Наконец графинину карету подали. Германн видел, как лакеи вынесли под руки сгорбленную старуху, укутанную в соболью шубу, и как вослед за нею, в холодном плаще, с головой, убранною свежими цветами, мелькнула ее воспитанница. Дверцы захлопнулись. Карета тяжело покатилась по рыхлому снегу. Швейцар запер двери. Окна померкли. Германн стал ходить около опустевшего дома: он подошел к фонарю, взглянул на часы, - было двадцать минут двенадцатого. Он остался под фонарем, устремив глаза на часовую стрелку и выжидая остальные минуты. Ровно в половине двенадцатого Германн ступил на графинино крыльцо и взошел в ярко освещенные сени. Швейцара не было. Германн взбежал по лестнице, отворил двери в переднюю и увидел слугу, спящего под лампою, в старинных, запачканных креслах. Легким и твердым шагом Германн прошел мимо его. Зала и гостиная были темны. Лампа слабо освещала их из передней. Германн вошел в спальню. Перед кивотом, наполненным старинными образами, теплилась золотая лампада. Полинялые штофные кресла и диваны с пуховыми подушками, с сошедшей позолотою, стояли в печальной симметрии около стен, обитых китайскими обоями. На стене висели два портрета, писанные в Париже Madame Lebrun. Один из них изображал мужчину лет сорока, румяного и полного, в светло-зеленом мундире и со звездою; другой - молодую красавицу с орлиным носом, с зачесанными висками и с розою в пудреных волосах.

In the corner stood porcelain shepherds and shepherdesses, dining-room clocks from the workshop of the celebrated Lefroy, bandboxes, roulettes, fans, and the various playthings for the amusement of ladies that were in vogue at the end of the last century, when Montgolfier's balloons and Niesber's magnetism were the rage. Hermann stepped behind the screen. At the back of it stood a little iron bedstead; on the right was the door which led to the cabinet; on the left, the other which led to the corridor. He opened the latter, and saw the little winding staircase which led to the room of the poor companion. But he retraced his steps and entered the dark cabinet.

The time passed slowly. All was still. The clock in the drawing-room struck twelve, the strokes echoed through the room one after the other, and everything was quiet again. Hermann stood leaning against the cold stove. He was calm, his heart beat regularly, like that of a man resolved upon a dangerous but inevitable undertaking. One o'clock in the morning struck; then two, and he heard the distant noise of carriage-wheels. An involuntary agitation took possession of him. The carriage drew near and stopped. He heard the sound of the carriage steps being let down. All was bustle within the house. The servants were running hither and thither, there was a confusion of voices, and the rooms were lit up. Three antiquated chambermaids entered the bedroom, and they were shortly afterwards followed by the Countess, who, more dead than alive, sank into a Voltaire armchair. Hermann peeped through a chink. Lizaveta Ivanovna passed close by him, and he heard her hurried steps as she hastened up the little spiral staircase. For a moment his heart was assailed by something like a pricking of conscience, but the emotion was only transitory, and his heart became petrified as before.

По всем углам торчали фарфоровые пастушки, столовые часы работы славного Leroy, коробочки, рулетки, веера и разные дамские игрушки, изобретенные в конце минувшего столетия вместе с Монгольфьеровым шаром и Месмеровым магнетизмом. Германн пошел за ширмы. За ними стояла маленькая железная кровать; справа находилась дверь, ведущая в кабинет; слева, другая - в коридор. Германн ее отворил, увидел узкую, витую лестницу, которая вела в комнату бедной воспитанницы... Но он воротился и вошел в темный кабинет.

Время шло медленно. Все было тихо. В гостиной пробило двенадцать; по всем комнатам часы одни за другими прозвонили двенадцать, - все умолкло опять. Германн стоял, прислонясь к холодной печке. Он был спокоен; сердце его билось ровно, как у человека, решившегося на что-нибудь опасное, но необходимое. Часы пробили первый и второй час утра, - и он услышал дальний стук кареты. Невольное волнение овладело им. Карета подъехала и остановилась. Он услышал стук опускаемой подножки. В доме засуетились. Люди побежали, раздались голоса, и дом осветился. В спальню вбежали три старые горничные, и графиня, чуть живая, вошла и опустилась в вольтеровы кресла. Германн глядел в щелку: Лизавета Ивановна прошла мимо его. Германн услышал ее торопливые шаги по ступеням ее лестницы. В сердце его отозвалось нечто похожее на угрызение совести и снова умолкло. Он окаменел.

Hermann was a witness of the repugnant mysteries of her toilette; at last the Countess was in her night-cap and dressing-gown, and in this costume, more suitable to her age, she appeared less hideous and deformed.

Like all old people, in general, the Countess suffered from sleeplessness. Having undressed, she seated herself at the window in a Voltaire armchair, and dismissed her maids. The candles were taken away, and once more the room was left with only one lamp burning in it. The Countess sat there looking quite yellow, mumbling with her flaccid lips and swaying to and fro. Her dull eyes expressed complete vacancy of mind, and, looking at her, one would have thought that the rocking of her body was not a voluntary action of her own, but was produced by the action of some concealed galvanic mechanism.

Suddenly the death-like face assumed an inexplicable expression. The lips ceased to tremble, the eyes became animated: before the Countess stood an unknown man.

" Do not be alarmed, for Heaven's sake, do not be alarmed! " said he in a low but distinct voice. " I have no intention of doing you any harm; I have only come to ask a favor of you."

The old woman looked at him in silence, as if she had not heard what he had said. Hermann thought that she was deaf, and, bending down towards her ear, he repeated what he had said. The aged Countess remained silent as before.

" You can insure the happiness of my life," continued Hermann, " and it will cost you nothing. I know that you can name three cards in order "

Hermann stopped. The Countess appeared now to understand what he wanted; she seemed as if seeking for words to reply.

Графиня стала раздеваться перед зеркалом. Откололи с нее чепец, украшенный розами; сняли напудренный парик с ее седой и плотно остриженной головы. Булавки дождем сыпались около нее. Желтое платье, шитое серебром, упало к ее распухлым ногам. Германн был свидетелем отвратительных таинств ее туалета; наконец графиня осталась в спальной кофте и ночном чепце: в этом наряде, более свойственном ее старости, она казалась менее ужасна и безобразна.

Как и все старые люди вообще, графиня страдала бессонницею. Раздевшись, она села у окна в вольтеровы кресла и отослала горничных. Свечи вынесли, комната опять осветилась одною лампадою. Графиня сидела вся желтая, шевеля отвислыми губами, качаясь направо и налево. В мутных глазах ее изображалось совершенное отсутствие мысли; смотря на нее, можно было бы подумать, что качание страшной старухи происходило не от ее воли, но по действию скрытого гальванизма.

Вдруг это мертвое лицо изменилось неизъяснимо. Губы перестали шевелиться, глаза оживились: перед графинею стоял незнакомый мужчина.

- Не пугайтесь, ради бога, не пугайтесь! - сказал он внятным и тихим голосом. - Я не имею намерения вредить вам; я пришел умолять вас об одной милости.

Старуха молча смотрела на него и, казалось, его не слыхала. Германн вообразил, что она глуха, и, наклонясь над самым ее ухом, повторил ей то же самое. Старуха молчала по-прежнему.

- Вы можете, - продолжал Германн, - составить счастие моей жизни, и оно ничего не будет вам стоить: я знаю, что вы можете угадать три карты сряду...

Германн остановился. Графиня, казалось, поняла, чего от нее требовали; казалось, она искала слов для своего ответа.

" It was a joke," she replied at last. " I assure you it was only a joke."

" There is no joking about the matter," replied Hermann, angrily. " Remember Chaplitsky, whom you helped to win."

The Countess became visibly uneasy. Her features expressed strong emotion, but they quickly resumed their former immobility.

" Can you not name me these three winning cards ? " continued Hermann.

The Countess remained silent; Hermann continued:

" For whom are you preserving your secret? For your grandsons? They are rich enough without it, they do not know the worth of money. Your cards would be of no use to a spendthrift. He who cannot preserve his paternal inheritance will die in want, even though he had a demon at his service. I am not a man of that sort. I know the value of money. Your three cards will not be thrown away upon me. Come! "

He paused and tremblingly awaited her reply. The Countess remained silent. Hermann fell upon his knees.

" If your heart has ever known the feeling of love," said he, " if you remember its rapture, if you have ever smiled at the cry of your new-born child, if any human feeling has ever entered into your breast, I entreat you by the feelings of a wife, a lover, a mother, by all that is most sacred in life, not to reject my prayer. Reveal to me your secret. Of what use is it to you? May be it is connected with some terrible sin, with the loss of eternal salvation, with some bargain with the devil. Reflect, you are old, you have not long to live—I am ready to take your sins upon my soul. Only reveal to me your secret.

- Это была шутка, - сказала она наконец, - клянусь вам! это была шутка!

- Этим нечего шутить, - возразил сердито Германн. - Вспомните Чаплицкого, которому помогли вы отыграться.

Графиня видимо смутилась. Черты ее изобразили сильное движение души, но она скоро впала в прежнюю бесчувственность.

- Можете ли вы, - продолжал Германн, - назначить мне эти три верные карты?

Графиня молчала; Германн продолжал:

- Для кого вам беречь вашу тайну? Для внуков? Они богаты и без того; они же не знают и цены деньгам. Моту не помогут ваши три карты. Кто не умеет беречь отцовское наследство, тот все-таки умрет в нищете, несмотря ни на какие демонские усилия. Я не мот; я знаю цену деньгам. Ваши три карты для меня не пропадут. Ну!..

Он остановился и с трепетом ожидал ее ответа. Графиня молчала; Германн стал на колени.

- Если когда-нибудь, - сказал он, - сердце ваше знало чувство любви, если вы помните ее восторги, если вы хоть раз улыбнулись при плаче новорожденного сына, если что-нибудь человеческое билось когда-нибудь в груди вашей, то умоляю вас чувствами супруги, любовницы, матери, - всем, что ни есть святого в жизни, - не откажите мне в моей просьбе! - откройте мне вашу тайну! - что вам в ней?.. Может быть, она сопряжена с ужасным грехом, с пагубою вечного блаженства, с дьявольским договором... Подумайте: вы стары; жить вам уж недолго, - я готов взять грех ваш на свою душу. Откройте мне только вашу тайну.

Remember that the happiness of a man is in your hands, that not only I, but my children and my grandchildren, will bless your memory and reverence you as a saint.

The old Countess answered not a word.

Hermann rose to his feet.

" You old hag! " he exclaimed, grinding his teeth, " then I will make you answer!" With these words he drew a pistol from his pocket. At the sight of the pistol, the Countess for the second time exhibited strong emotions. She shook her head, and raised her hands as if to protect herself from the shot. Then she fell backwards, and remained motionless.

" Come, an end to this childish nonsense!" said Hermann, taking hold of her hand. " I ask you for the last time: will you tell me the names of your three cards, or will you not ? "

The Countess made no reply. Hermann perceived that she was dead!

Подумайте, что счастие человека находится в ваших руках; что не только я, но дети мои, внуки и правнуки благословят вашу память и будут ее чтить, как святыню...

Старуха не отвечала ни слова.

Германн встал.

- Старая ведьма! - сказал он, стиснув зубы, - так я ж заставлю тебя отвечать...

С этим словом он вынул из кармана пистолет. При виде пистолета графиня во второй раз оказала сильное чувство. Она закивала головою и подняла руку, как бы заслоняясь от выстрела... Потом покатилась навзничь... и осталась недвижима.

- Перестаньте ребячиться, - сказал Германн, взяв ее руку. - Спрашиваю в последний раз: хотите ли назначить мне ваши три карты? - да или нет?

Графиня не отвечала. Германн увидел, что она умерла.

IV

LIZAVETA Ivanovna sat in her room in all her ball finery, in deep thought. On her return home she had hastily dismissed the sleepy girl who unwillingly proffered her help, saying that she would undress unassisted, and had timidly entered her room, hoping, yet dreading, to find Hermann there. Her first glance around assured her of his absence, and she thanked her stars for the obstacle which must have prevented their meeting. She sat down without undressing, and went over in her mind all the circumstances which, in so short a time, had carried her so far. Less than three weeks had elapsed since the day when she had first beheld the young man out of the window, and already she was corresponding with him, and he had succeeded in obtaining her consent to nightly rendezvous. She knew his name only because some of his letters had been signed, had never spoken to him, nor heard his voice, nor heard him spoken of . . . until this very evening. Strange. Tonight, at the ball, Tomsky, being in a huff with the young Princess Pauline , who had chosen, for a change, to flirt with another man, and wishing to be revenged, had bestowed his attentions on Lizav^ta Ivanovna and danced an endless mazurka with her; and all the time he had teased her about her partiality to engineers, assuring her that he knew a great deal more than she supposed, and some of his jokes had so nearly hit the mark that she had fancied more than once that her secret was known to him.

" From whom have you learned all this ?" she asked, smiling.

" From a friend of a person very well known to you," replied Tomsky, " from a very distinguished man."

" And whom is this distinguished man ? "

" His name is Hermann." Lizaveta made no reply, but her hands and feet lost all sense of feeling.

IV

Лизавета Ивановна сидела в своей комнате, еще в бальном своем наряде, погруженная в глубокие размышления. Приехав домой, она спешила отослать заспанную девку, нехотя предлагавшую ей свою услугу, - сказала, что разденется сама, и с трепетом вошла к себе, надеясь найти там Германна и желая не найти его. С первого взгляда она удостоверилась в его отсутствии и благодарила судьбу за препятствие, помешавшее их свиданию. Она села, не раздеваясь, и стала припоминать все обстоятельства, в такое короткое время и так далеко ее завлекшие. Не прошло трех недель с той поры, как она в первый раз увидела в окошко молодого человека, - и уже она была с ним в переписке, - и он успел вытребовать от нее ночное свидание! Она знала имя его потому только, что некоторые из его писем были им подписаны; никогда с ним не говорила, не слыхала его голоса, никогда о нем не слыхала... до самого сего вечера. Странное дело! В самый тот вечер, на бале, Томский, дуясь на молодую княжну Полину, которая, против обыкновения, кокетничала не с ним, желал отомстить, оказывая равнодушие: он позвал Лизавету Ивановну и танцевал с нею бесконечную мазурку. Во все время шутил он над ее пристрастием к инженерным офицерам, уверял, что он знает гораздо более, нежели можно было ей предполагать, и некоторые из его шуток были так удачно направлены, что Лизавета Ивановна думала несколько раз, что ее тайна была ему известна.

- От кого вы все это знаете? - спросила она смеясь.

- От приятеля известной вам особы, - отвечал Томский, - человека очень замечательного!

- Кто ж этот замечательный человек?

- Его зовут Германном.

Лизавета Ивановна не отвечала ничего, но ее руки и ноги поледенели...

" This Hermann," continued Tomsky, " is a man of romantic personality. He has the profile of a Napoleon, and the soul of a Mephistopheles. I believe that he has at least three crimes upon his conscience. How pale you have become!"

" I have a headache. But what did this Hermann, or whatever his name is, tell you ? "

" Hermann is very dissatisfied with his friend. He says that in his place he would act very differently. I even think that Hermann himself has designs upon you; at least, he listens very attentively to all that his friend has to say about you."

" And where has he seen me ? "

" In church, perhaps; or on the parade. God alone knows where. It may have been in your room, while you were asleep, for there is nothing that he "

Three ladies approaching him with the question: " oubli ou regret ?" interrupted the conversation, which had become so tantalizingly interesting to Lizaveta.

The lady chosen by Tomsky was the Princess Pauline herself. She succeeded in effecting a reconciliation with him during the numerous turns of the dance, after which he conducted her to her chair. On returning to his place, Tomsky thought no more either of Hermann or Lizaveta. She longed to renew the interrupted conversation, but the mazurka came to an end, and shortly afterwards the old Countess took her departure.

Tomsky's words were nothing more than the customary small talk of the dance, but they sank deep into the soul of the young dreamer. The portrait, sketched by Tomsky, coincided with the picture she had formed within her own mind, and, thanks to the latest romances, the ordinary countenance of her admirer became invested with attributes capable of alarming her and fascinating her imagination at the same time. She was now sitting with her bare arms crossed, and with her head, still adorned with flowers, sunk upon her uncovered bosom. Suddenly the door opened and Hermann entered. She shuddered.

- Этот Германн, - продолжал Томский, - лицо истинно романическое: у него профиль Наполеона, а душа Мефистофеля. Я думаю, что на его совести по крайней мере три злодейства. Как вы побледнели!..

- У меня голова болит... Что же говорил вам Германн, - или как бишь его?..

- Германн очень недоволен своим приятелем: он говорит, что на его месте он поступил бы совсем иначе... Я даже полагаю, что Германн сам имеет на вас виды, но крайней мере он очень неравнодушно слушает влюбленные восклицания своего приятеля.

- Да где ж он меня видел?

- В церкви, может быть, - на гулянье!.. Бог его знает! может быть, в вашей комнате, во время вашего сна: от него станет...

Подошедшие к ним три дамы с вопросами прервали разговор, который становился мучительно любопытен для Лизаветы Ивановны.

Дама, выбранная Томским, была сама княжна. Она успела с ним изъясниться, обежав лишний круг и лишний раз повертевшись перед своим стулом. Томский, возвратясь на свое место, уже не думал ни о Германне, ни о Лизавете Ивановне. Она непременно хотела возобновить прерванный разговор; но мазурка кончилась, и вскоре после старая графиня уехала.

Слова Томского были не что иное, как мазурочная болтовня, но они глубоко заронились в душу молодой мечтательницы. Портрет, набросанный Томским, сходствовал с изображением, составленным ею самою, и, благодаря новейшим романам, это уже пошлое лицо пугало и пленяло ее воображение. Она сидела, сложа крестом голые руки, наклонив на открытую грудь голову, еще убранную цветами... Вдруг дверь отворилась, и Германн вошел. Она затрепетала...

" Where were you ? " she asked in a terrified whisper.

" In the old Countess's bedroom," replied Hermann. " I have just left her. The Countess is dead."

" My God! What do you say ? "

" And I am afraid," added Hermann, " that I am the cause of her death."

Lizaveta looked at him, and Tomsky's words found an echo in her soul: " This man has at least three crimes upon his conscience! " Hermann sat down by the window near her, and related all that had happened.

Lizaveta listened to him in terror. So all those passionate letters, those ardent desires, this bold, obstinate pursuit—all this was not love! Money—that was what his soul yearned for! She could not satisfy his desire and make him happy. The poor girl had been nothing but the blind tool of a robber, of the murderer of her aged benefactress! She wept bitter tears of agonized repentance. Hermann gazed at her in silence; his heart, too, was a prey to violent emotion, but neither the tears of the poor girl, nor the wonderful charm of her beauty, enhanced by her grief, could produce any impression upon his hardened soul. He felt no pricking of conscience at the thought of the dead old woman. One thing only grieved him: the irreparable loss of the secret from which he had expected to obtain great wealth.

" You are a monster! " said Lizaveta at last.

" I did not wish for her death," replied Hermann, " my pistol was not loaded." Both remained silent.

- Где же вы были? - спросила она испуганным шепотом.

- В спальне у старой графини, - отвечал Германн, - я сейчас от нее. Графиня умерла.

- Боже мой!.. что вы говорите?..

- И кажется, - продолжал Германн, - я причиною ее смерти.

Лизавета Ивановна взглянула на него, и слова Томского раздались в ее душе: *у этого человека по крайней мере три злодейства на душе!* Германн сел на окошко подле нее и все рассказал.

Лизавета Ивановна выслушала его с ужасом. Итак, эти страстные письма, эти пламенные требования, это дерзкое, упорное преследование, все это было не любовь! Деньги, - вот чего алкала его душа! Не она могла утолить его желания и осчастливить его! Бедная воспитанница была не что иное, как слепая помощница разбойника, убийцы старой ее благодетельницы!.. Горько заплакала она в позднем, мучительном своем раскаянии. Германн смотрел на нее молча: сердце его также терзалось, но ни слезы бедной девушки, ни удивительная прелесть ее горести не тревожили суровой души его. Он не чувствовал угрызения совести при мысли о мертвой старухе. Одно его ужасало: невозвратная потеря тайны, от которой ожидал обогащения.

- Вы чудовище! - сказала наконец Лизавета Ивановна.

- Я не хотел ее смерти, - отвечал Германн,- пистолет мой не заряжен. Они замолчали.

The day began to dawn. Lizaveta extinguished her candle, a pale light illumined her room. She wiped her tear-stained eyes, and raised them towards Hermann. He was sitting near the window, with his arms crossed, and with a fierce frown upon his forehead. In this attitude he bore a striking resemblance to the portrait of Napoleon. This resemblance struck Lizaveta even.

" How shall I get you out of the house? " said she at last. " I thought of conducting you down the secret staircase."

" I will go alone," he answered.

Lizaveta arose, took from her drawer a key, handed it to Hermann, and gave him the necessary instructions. Hermann pressed her cold, inert hand, kissed her bowed head, and left the room.

He descended the winding staircase, and once more entered the Countess's bedroom. The dead old lady sat as if petrified, her face expressed profound tranquillity. Hermann stopped before her, and gazed long and earnestly at her, as if he wished to convince himself of the terrible reality. At last he entered the cabinet, felt behind the tapestry for the door, and then began to descend the dark staircase, filled with strange emotions. " Down this very staircase," thought he, " perhaps coming from the very same room, and at this very same hour sixty years ago, there may have glided, in an embroidered coat, with his hair dressed *a l'oiseau royal,* and pressing to his heart his three-cornered hat, some young gallant who has long been mouldering in the grave, but the heart of his aged mistress has only today ceased to beat."Countess was so old that her death could have surprised nobody, and her relatives had long looked upon her as being out of the world. A famous preacher delivered the funeral sermon. In simple and touching words he described the peaceful passing away of the righteous, who had passed long years in calm preparation for a Christian end. " The angel of death found her," said the orator," engaged in pious meditation and waiting for the midnight bridegroom."

Утро наступало. Лизавета Ивановна погасила догорающую свечу: бледный свет озарил ее комнату. Она отерла заплаканные глаза и подняла их на Германна: он сидел на окошке, сложа руки и грозно нахмурясь. В этом положении удивительно напоминал он портрет Наполеона. Это сходство поразило даже Лизавету Ивановну.

- Как вам выйти из дому? - сказала наконец Лизавета Ивановна. - Я думала провести вас по потаенной лестнице, но надобно идти мимо спальни, а я боюсь.

- Расскажите мне, как найти эту потаенную лестницу; я выйду.

Лизавета Ивановна встала, вынула из комода ключ, вручила его Германну и дала ему подробное наставление. Германн пожал ее холодную, безответную руку, поцеловал ее наклоненную голову и вышел.

Он спустился вниз по витой лестнице и вошел опять в спальню графини. Мертвая старуха сидела окаменев; лицо ее выражало глубокое спокойствие. Германн остановился перед нею, долго смотрел на нее, как бы желая удостовериться в ужасной истине; наконец вошел в кабинет, ощупал за обоями дверь и стал сходить по темной лестнице, волнуемый странными чувствованиями. По этой самой лестнице, думал он, может быть, лет шестьдесят назад, в эту самую спальню, в такой же час, в шитом кафтане, причесанный Ю l'oiseau royal, прижимая к сердцу треугольную свою шляпу, прокрадывался молодой счастливец, давно уже истлевший в могиле, а сердце престарелой его любовницы сегодня перестало биться...

At the bottom of the staircase Hermann found a door, which he opened with a key, and then traversed a corridor which conducted him into the street.

Под лестницею Германн нашел дверь, которую отпер тем же ключом, и очутился в сквозном коридоре, выведшем его на улицу.

V

THREE days after the fatal night, at nine o'clock in the morning, Hermann repaired to the Convent of , where the last honors were to be paid to the mortal remains of the old Countess. Although feeling no remoise, he could not altogether stifle the voice of conscience, which said to him: " You are the murderer of the old woman! " In spite of his entertaining very little religious belief, he was exceedingly superstitious; and believing that the dead Countess might exercise an evil influence on his life, he resolved to be present at her obsequies in order to implore her pardon.

The church was full. It was with difficulty that Hermann made his way through the crowd of people. The coffin was placed upon a rich catafalque beneath a velvet baldachin. The deceased Countess lay within it, with her hands crossed upon her breast, with a lace cap upon her head, and dressed in a white satin robe. Around the catafalque stood the members of her household; the servants in black caftans, with armorial ribbons upon their shoulders and candles in their hands; the relatives—children, grandchildren, and great-grandchildren—in deep mourning.

Nobody wept, tears would have been an affectation. The Countess was so old that her death could be a shock to nobody, and her relatives had long ceased to count her as one of the living. The young preacher pronounced the funeral sermon. In simple and touching words he described the peace of the righteous, whose long years in calm preparation for a Christian death. "The angel of death found her - she said - in pious meditation and waiting for the midnight bridegroom."

The service concluded amidst profound silence. The relatives went forward first to take a farewell of the corpse. Then followed the numerous guests, who had come to render the last homage to her who for so many years had been a participator in their frivolous amusements. After these followed the members of the Countess's household. The last of these an old woman of the same age as the deceased.

V

Три дня после роковой ночи, в девять часов утра, Германн отправился в монастырь, где должны были отпевать тело усопшей графини. Не чувствуя раскаяния, он не мог, однако, совершенно заглушить голос совести, твердившей ему: ты убийца старухи! Имея мало истинной веры, он имел множество предрассудков. Он верил, что мертвая графиня могла иметь вредное влияние на его жизнь, - и решился явиться на ее похороны, чтобы испросить у ней прощения.

Церковь была полна. Германн насилу мог пробраться сквозь толпу народа. Гроб стоял на богатом катафалке под бархатным балдахином. Усопшая лежала в нем с руками, сложенными на груди, в кружевном чепце и в белом атласном платье. Кругом стояли ее домашние: слуги в черных кафтанах с гербовыми лентами на плече и со свечами в руках; родственники в глубоком трауре, - дети, внуки и правнуки. Никто не плакал; слезы были бы - une affectation. Графиня так была стара, что смерть ее никого не могла поразить и что ее родственники давно смотрели на нее, как на отжившую. Молодой архиерей произнес надгробное слово. В простых и трогательных выражениях представил он мирное успение праведницы, которой долгие годы были тихим, умилительным приготовлением к христианской кончине. "Ангел смерти обрел ее, - сказал оратор, - бодрствующую в помышлениях благих и в ожидании жениха полунощного". Служба совершилась с печальным приличием. Родственники первые пошли прощаться с телом. Потом двинулись и многочисленные гости, приехавшие поклониться той, которая так давно была участницею в их суетных увеселениях. После них и все домашние. Наконец приблизилась старая барская барыня, ровесница покойницы.

Two young women led her forward by the hand. She had not strength enough to bow down to the ground—she merely shed a few tears, and kissed the cold hand of the mistress. Herman now resolved to approach the coffin. He knelt down upon the cold stones, and remained in that position for some minutes; at last he arose as pale as the deceased Countess herself; he ascended the steps of the catafalque and bent over the corpse. ... At that moment it seemed to him that the dead woman darted a mocking look at him and winked with one eye. Hermann started back, took a false step, and fell to the ground. Several persons hurried forward and raised him up. At the same moment Lizaveta Ivanovna was borne fainting into the porch of the church. This episode disturbed for some minutes the solemnity of the gloomy ceremony. Among the congregation arose a deep murmur, and a tall, thin chamberlain, a near relative of the deceased, whispered in the ear of an Englishman, who was standing near him, that the young officer was a natural son of the Countess, to which the Englishman coldly replied " Oh! "

During the whole of that day Hermann was strangely excited. Repairing to an out of the way restaurant to dine, he drank a great deal of wine, contrary to his usual custom, in the hope of deadening his inward agitation. But the wine only served to excite his imagination still more. On returning home he threw himself upon his bed without undressing, and fell into a deep sleep.

When he woke up it was already night, and the moon was shining into the room. He looked at his watch: it was a quarter to three. Sleep had left him; he sat down upon his bed, and thought of the funeral of the old Countess.

At that moment somebody in the street looked in at his window and immediately passed on again. Hermann paid no attention to this incident. A few moments afterwards he heard the door of his anteroom open. Hermann thought that it was his orderly, drunk as usual, returning from some nocturnal expedition.

Две молодые девушки вели ее под руки. Она не в силах была поклониться до земли, - и одна пролила несколько слез, поцеловав холодную руку госпожи своей. После нее Германн решился подойти ко гробу. Он поклонился в землю и несколько минут лежал на холодном полу, усыпанном ельником. Наконец приподнялся, бледен как сама покойница, взошел на ступени катафалка и наклонился... В эту минуту показалось ему, что мертвая насмешливо взглянула на него, прищуривая одним глазом. Германн, поспешно подавшись назад, оступился и навзничь грянулся об земь. Его подняли. В то же самое время Лизавету Ивановну вынесли в обмороке на паперть. Этот эпизод возмутил на несколько минут торжественность мрачного обряда. Между посетителями поднялся глухой ропот, а худощавый камергер, близкий родственник покойницы, шепнул на ухо стоящему подле него англичанину, что молодой офицер ее побочный сын, на что англичанин отвечал холодно: Oh?

Целый день Германн был чрезвычайно расстроен. Обедая в уединенном трактире, он, против обыкновения своего, пил очень много, в надежде заглушить внутреннее волнение. Но вино еще более горячило его воображение. Возвратясь домой, он бросился, не раздеваясь, на кровать и крепко заснул.

Он проснулся уже ночью: луна озаряла его комнату. Он взглянул на часы: было без четверти три. Сон у него прошел; он сел на кровать и думал о похоронах старой графини.

В это время кто-то с улицы взглянул к нему в окошко, - и тотчас отошел. Германн не обратил на то никакого внимания. Чрез минуту услышал он, что отпирали дверь в передней комнате. Германн думал, что денщик его, пьяный по своему обыкновению, возвращался с ночной прогулки.

But presently he heard footsteps that were unknown to him: somebody was walking softly over the floor in slippers. The door opened, and a woman dressed in white entered the room. Hermann mistook her for his old nurse, and wondered what could bring her there at that hour of the night. But the white woman glided rapidly across the room and stood before him—and Hermann thought he recognized the Countess.

" I have come to you against my wish," she said in a firm voice, " but I have been ordered to grant your request. Three, seven, ace, will win for you if played in succession, but only on these conditions: that you do not play more than one card in twenty-four-hours, and that you never play again during the rest of your life. I forgive you my death, on condition that you marry my companion, Lizaveta Ivanovna."

With these words she turned round very quietly, walked with a shuffling gait towards the door, and disappeared. Hermann heard the street door open and shut, and again he saw someone look in at him through the window.

For a long time Hermann could not recover himself. He then rose up and entered the next room. His orderly was lying asleep upon the floor, and he had much difficulty in waking him. The orderly was drunk as usual, and no information could be obtained from him. The street door was locked. Hermann returned to his room, lit his candle, and wrote down all the details of his vision.

Но он услышал незнакомую походку: кто-то ходил, тихо шаркая туфлями. Дверь отворилась, вошла женщина в белом платье. Германн принял ее за свою старую кормилицу и удивился, что могло привести ее в такую пору. Но белая женщина, скользнув, очутилась вдруг перед ним, - и Германн узнал графиню!

- Я пришла к тебе против своей воли, - сказала она твердым голосом, - но мне велено исполнить твою просьбу. Тройка, семерка и туз выиграют тебе сряду, но с тем, чтобы ты в сутки более одной карты не ставил и чтоб во всю жизнь уже после не играл. Прощаю тебе мою смерть, с тем, чтоб ты женился на моей воспитаннице Лизавете Ивановне...

С этим словом она тихо повернулась, пошла к дверям и скрылась, шаркая туфлями. Германн слышал, как хлопнула дверь в сенях, и увидел, что кто-то опять поглядел к нему в окошко.

Германн долго не мог опомниться. Он вышел в другую комнату. Денщик его спал на полу; Германн насилу его добудился. Денщик был пьян по обыкновению: от него нельзя было добиться никакого толку. Дверь в сени была заперта. Германн возвратился в свою комнату, засветил свечку и записал свое видение.

VI

Two fixed ideas can no more exist together in the moral world than two bodies can occupy one and the same physical world. " Three, seven, ace " soon drove out of Hermann's mind the thought of the dead Countess. " Three, seven, ace " were perpetually running through his head, and continually being repeated by his lips. If he saw a young girl, he would say: " How slender she is; quite like the three of hearts." If anybody asked "What is the time?" he would reply: " Five minutes to seven." Every stout man that he saw reminded him of the ace. " Three, seven, ace " haunted him in his sleep, and assumed all possible shapes. The threes bloomed before hitn in the forms of magnificent flowers, the sevens were represented by Gothic portals, and the aces became transformed into gigantic spiders. One thought alone occupied his whole mind—to make a profitable use of the secret which he had purchased so dearly. He thought of applying for a furlough so as to travel abroad. He wanted to go to Paris and tempt fortune in some gambling houses that abounded there. Chance spared him all this trouble.

There was in Moscow a society of rich gamesters, presided over by the celebrated Chekalinsky, who had passed all his life at the card table, and had amassed millions, accepting bills of exchange for his winnings, and paying his losses in ready money. His long experience secured for him the confidence of his companions, and his open house, his famous cook, and his agreeable and fascinating manners, gained for him the respect of the public. He came to St. Petersburg. The young men of the capital flocked to his rooms, forgetting balls for cards, and preferring the emotions of faro to the seductions of flirting. Naroumoff conducted Hermann to Chekalinsky's residence.

They passed through a suite of rooms, filled with attentive domestics. The place was crowded. Generals and Privy Counsellors were playing at whist, young men were lolling carelessly upon the velvet-covered sofas, eating ices and smoking pipes.

VI

Две неподвижные идеи не могут вместе существовать в нравственной природе, так же, как два тела не могут в физическом мире занимать одно и то же место. Тройка, семерка, туз - скоро заслонили в воображении Германца образ мертвой старухи. Тройка, семерка, туз - не выходили из его головы и шевелились на его губах. Увидев молодую девушку, он говорил: "Как она стройна!.. Настоящая тройка червонная". У него спрашивали: "который час", он отвечал: "без пяти минут семерка". Всякий пузастый мужчина напоминал ему туза. Тройка, семерка, туз - преследовали его во сне, принимая все возможные виды: тройка цвела перед ним в образе пышного грандифлора, семерка представлялась готическими воротами, туз огромным пауком. Все мысли его слились в одну, - воспользоваться тайной, которая дорого ему стоила. Он стал думать об отставке и о путешествии. Он хотел в открытых игрецких домах Парижа вынудить клад у очарованной фортуны. Случай избавил его от хлопот.

В Москве составилось общество богатых игроков, под председательством славного Чекалинского, проведшего весь век за картами и нажившего некогда миллионы, выигрывая векселя и проигрывая чистые деньги. Долговременная опытность заслужила ему доверенность товарищей, а открытый дом, славный повар, ласковость и веселость приобрели уважение публики. Он приехал в Петербург. Молодежь к нему нахлынула, забывая балы для карт и предпочитая соблазны фараона обольщениям волокитства. Нарумов привез к нему Германна.

Они прошли ряд великолепных комнат, наполненных учтивыми официантами. Несколько генералов и тайных советников играли в вист; молодые люди сидели, развалясь на штофных диванах, ели мороженое и курили трубки.

In the drawing-room, at the head of a long table, around which were assembled about a score of players, sat the master of the house keeping the bank. He was a man of about sixty years of age, of a very dignified appearance; his head was covered with silvery white hair; his full, florid countenance expressed good-nature, and his eyes twinkled with a perpetual smile. Naroumoff introduced Hermann to him. Chekalinsky shook him by the hand in a friendly manner, requested him not to stand on ceremony, and then went on dealing.

The game occupied some time. On the table lay more than thirty cards. Chekalinsky paused after each throw, in order to give the players time to arrange their cards and note down their losses, listened politely to their requests, and more politely still, straightened the corners of cards that some player's hand had chanced to bend. At last the game was finished. Chekalinsky shuffled the cards, and prepared to deal again.

"Will you allow me to take a card?" said Hermann, stretching out his hand from behind a stout gentleman who was punting.

Chekalinsky smiled and bowed silently, as a sign of acquiescence. Naroumoff laughingly congratulated Hermann on his abjuration of that abstention from cards which he had practised for so long a period, and wished him a lucky beginning.

" Stake! " said Hermann, writing some figures with chalk on the back of his card.

" How much ? " asked the banker, contracting the muscles of his eyes, " excuse me, I cannot see quite clearly."

" Forty-seven thousand roubles," replied Hermann. At these words every head in the room turned suddenly round, and all eyes were fixed upon Hermann.

" He has taken leave of his senses! " thought Naroumoff.

" Allow me to inform you," said Chekalinsky, with his eternal smile, " that you are playing very high; nobody here has ever staked more than two hundred and seventy-five roubles at once."

В гостиной за длинным столом, около которого теснилось человек двадцать игроков, сидел хозяин и метал банк. Он был человек лет шестидесяти, самой почтенной наружности; голова покрыта была серебряной сединою; полное и свежее лицо изображало добродушие; глаза блистали, оживленные всегдашнею улыбкою. Нарумов представил ему Германна. Чекалинский дружески пожал ему руку, просил не церемониться и продолжал метать.

Талья длилась долго. На столе стояло более тридцати карт.

Чекалинский останавливался после каждой прокидки, чтобы дать играющим время распорядиться, записывал проигрыш, учтиво вслушивался в их требования, еще учтивее отгибал лишний угол, загибаемый рассеянною рукою. Наконец талья кончилась. Чекалинский стасовал карты и приготовился метать другую.

- Позвольте поставить карту, - сказал Германн, протягивая руку из-за толстого господина, тут же понтировавшего. Чекалинский улыбнулся и поклонился, молча, в знак покорного согласия. Нарумов, смеясь, поздравил Германна с разрешением долговременного поста и пожелал ему счастливого начала.

- Идет! - сказал Германн, надписав мелом куш над своею картою.

- Сколько-с? - спросил, прищуриваясь, банкомет, - извините-с, я не разгляжу.

- Сорок семь тысяч, - отвечал Германн.

При этих словах все головы обратились мгновенно, и все глаза устремились на Германна. "Он с ума сошел!" - подумал Нарумов.

- Позвольте заметить вам, - сказал Чекалинский с неизменной своею улыбкою, - что игра ваша сильна: никто более двухсот семидесяти пяти семпелем здесь еще не ставил.

" Very well," replied Hermann, " but do you accept my card or not ? "

Chekalinsky bowed in token of consent.

" I only wish to observe," said he, " that although I have the greatest confidence in my friends, I can only play against ready money. For my own part I am quite convinced that your word is sufficient, but for the sake of the'order of the game, and to facilitate the reckoning up, I must ask you to put the money on your card."

Hermann drew from his pocket a bank-note, and handed it to Chekalinsky, who, after examining it in a cursory manner, placed it on Hermann's card.

He began to deal. On the right a nine turned up, and on the left a three.

" I have won! " said Hermann, showing his card.

A murmur of astonishment arose among the players. Chekalinsky frowned, but the smile quickly returned to his face. " Do you wish me to settle with you?" he said to Hermann.

"If you please," replied the latter.

Chekalinsky drew from his pocket a number of banknotes and paid at once. Hermann took up his money and left the table. Naroumoff could not recover from his astonishment. Hermann drank a glass of lemonade and returned home.

The next evening he again repaired to Chekalinsky's. The host was dealing. Hermann walked up to the table; the punters immediately made room for him. Chekalinsky greeted him with a gracious bow.

Hermann waited for the next deal, took a card and placed upon it his forty-seven thousand roubles, together with his winnings of the previous evening.

Chekalinsky began to deal. A knave turned up on the right, a seven on the left.

Hermann showed his seven.

- Что ж? - возразил Германн, - бьете вы мою карту или нет?

Чекалинский поклонился с видом того же смиренного согласия.

- Я хотел только вам доложить, - сказал он, - что, будучи удостоен доверенности товарищей, я не могу метать иначе, как на чистые деньги. С моей стороны я, конечно, уверен, что довольно вашего слова, но для порядка игры и счетов прошу вас поставить деньги на карту.

Германн вынул из кармана банковый билет и подал его Чекалинскому, который, бегло посмотрев его, положил на Германнову карту.

Он стал метать. Направо легла девятка, налево тройка.

- Выиграла! - сказал Германн, показывая свою карту.

Между игроками поднялся шепот. Чекалинский нахмурился, но улыбка тотчас возвратилась на его лицо.

- Изволите получить? - спросил он Германна.

- Сделайте одолжение.

Чекалинский вынул из кармана несколько банковых билетов и тотчас расчелся. Германн принял свои деньги и отошел от стола. Нарумов не мог опомниться. Германн выпил стакан лимонаду и отправился домой.

На другой день вечером он опять явился у Чекалинского. Хозяин метал. Германн подошел к столу; понтеры тотчас дали ему место, Чекалинский ласково ему поклонился.

Германн дождался новой тальи, поставил карту, положив на нее свои сорок семь тысяч и вчерашний выигрыш.

Чекалинский стал метать. Валет выпал направо, семерка налево.

Германн открыл семерку.

There was a general exclamation. Chekalinsky was evidently ill at ease, but he counted out the ninety-four thousand roubles and handed them over to Hermann, who pocketed them in the coolest manner possible, and immediately left the house.

The next evening Hermann appeared again at the table. Everyone was expecting him. The generals and privy counsellors left their whist in order to watch such extraordinary play. The young officers quitted their sofas, and even the servants crowded into the room. All pressed round Hermann. The other players left off punting, impatient to see how it would end. Hermann stood at the table, and prepared to play alone against the pale, but still smiling Chekalinsky. Each opened a pack of cards. Chekalinsky shuffled. Hermann took a card and covered it with a pile of bank-notes. It was like a duel. Deep silence reigned around.

Chekalinsky began to deal, his hands trembled. On the right a queen turned up, and on the left an ace.

" Ace has won! " cried Hermann, showing his card.

" Your queen has lost," said Chekalinsky, politely.

Hermann started; instead of an ace, there lay before him the queen of spades! He could not believe his eyes, nor could he understand how he had made such a mistake.

At that moment it seemed to him that the queen of spades smiled ironically, and winked her eye at him. He was struck by her remarkable resemblance. . . .

" The old Countess! " he exclaimed, seized with terror. Chekalinsky gathered up his winnings. For some time Hermann remained perfectly motionless. When at last he left the table, there was a general commotion in the room.

" Splendidly punted! " said the players. Chekalinsky shuffled the cards afresh, and the game went on as usual.

Все ахнули. Чекалинский видимо смутился. Он отсчитал девяноста четыре тысячи и передал Германну. Германн принял их с хладнокровием и в ту же минуту удалился.

В следующий вечер Германн явился опять у стола. Все его ожидали. Генералы и тайные советники оставили свой вист, чтоб видеть игру, столь необыкновенную. Молодые офицеры соскочили с диванов; все официанты собрались в гостиной. Все обступили Германна. Прочие игроки не поставили своих карт, с нетерпением ожидая, чем он кончит. Германн стоял у стола, готовясь один понтировать противу бледного, но все улыбающегося Чекалинского. Каждый распечатал колоду карт. Чекалинский стасовал. Германн снял и поставил свою карту, покрыв ее кипой банковых билетов. Это похоже было на поединок. Глубокое молчание царствовало кругом.

Чекалинский стал метать, руки его тряслись. Направо легла дама, налево туз.

- Туз выиграл! - сказал Германн и открыл свою карту.

- Дама ваша убита, - сказал ласково Чекалинский.

Германн вздрогнул: в самом деле, вместо туза у него стояла пиковая дама. Он не верил своим глазам, не понимая, как мог он обдернуться.

В эту минуту ему показалось, что пиковая дама прищурилась и усмехнулась. Необыкновенное сходство поразило его...

- Старуха! - закричал он в ужасе.

Чекалинский потянул к себе проигранные билеты. Германн стоял неподвижно. Когда отошел он от стола, поднялся шумный говор. - Славно спонтировал! - говорили игроки. - Чекалинский снова стасовал карты: игра пошла своим чередом.

Conclusion

Hermann went out of his mind, and is now confined in room number seventeen of the Oboukhoff Hospital. He never answers any questions, but he constantly mutters with unusual rapidity: " Three, seven, ace! Three, seven, queen!"

Lizaveta Ivanovna has married a very amiable young man, a son of the former steward of the old Countess. He is in the service of the State somewhere, and is in receipt of a good income. Lizaveta is also supporting a poor relative.

Tomsky has been promoted to the rank of captain, and has become the husband of the Princess Pauline.

Заключение

Германн сошел с ума. Он сидит в Обуховской больнице в 17-м нумере, не отвечает ни на какие вопросы и бормочет необыкновенно скоро: "Тройка, семерка, туз! Тройка, семерка, дама!.."

Лизавета Ивановна вышла замуж за очень любезного молодого человека; он где-то служит и имеет порядочное состояние: он сын бывшего управителя у старой графини. У Лизаветы Ивановны воспитывается бедная родственница.

Томский произведен в ротмистры и женится на княжне Полине.

Slander

Anton Chekhov

SERGEY KAPITONICH AKHINEYEV, the teacher of calligraphy, gave his daughter Natalya in marriage to the teacher of history and geography, Ivan Petrovich Loshadinikh. The wedding feast went on swimmingly. They sang, played, and danced in the parlor. Waiters, hired for the occasion from the club, bustled about hither and thither like madmen, in black frock coats and soiled white neckties. A loud noise of voices smote the air. From the outside people looked in at the windows—their social standing gave them no right to enter.

Just at midnight the host, Akhineyev, made his way to the kitchen to see whether everything was ready for the supper. The kitchen was filled with smoke from the floor to the ceiling; the smoke reeked with the odors of geese, ducks, and many other things. Victuals and beverages were scattered about on two tables in artistic disorder. Marfa, the cook, a stout, red-faced woman, was busying herself near the loaded tables.

"Show me the sturgeon, dear," said Akhineyev, rubbing his hands and licking his lips. "What a fine odor! I could just devour the whole kitchen! Well, let me see the sturgeon!"

Клевета

Антон Чехов

Учитель чистописания Сергей Капитоныч Ахинеев выдавал свою дочку Наталью за учителя истории и географии Ивана Петровича Лошадиных. Свадебное веселье текло как по маслу. В зале пели, играли, плясали. По комнатам, как угорелые, сновали взад и вперед взятые напрокат из клуба лакеи в черных фраках и белых запачканных галстуках. Стоял шум и говор. В окна со двора засматривали люди, по своему социальному положению не имевшие права войти
внутрь.

Ровно в полночь хозяин Ахинеев прошел в кухню поглядеть, всё ли готово к ужину. В кухне от пола до потолка стоял дым, состоявший из гусиных, утиных и многих других запахов. На двух столах были разложены и расставлены в художественном беспорядке атрибуты закусок и выпивок. Около столов суетилась кухарка Марфа, красная баба с двойным перетянутым
животом.

- Покажи-ка мне, матушка, осетра! - сказал Ахинеев, потирая руки и облизываясь. - Запах-то какой, миазма какая! Так бы и съел всю кухню! Ну-кася, покажи осетра!

Marfa walked up to one of the benches and carefully lifted a greasy newspaper. Beneath that paper, in a huge dish, lay a big fat sturgeon, amid capers, olives, and carrots. Akhineyev glanced at the sturgeon and heaved a sigh of relief. His face became radiant, his eyes rolled. He bent down, and, smacking his lips, gave vent to a sound like a creaking wheel. He stood a while, then snapped his fingers for pleasure, and smacked his lips once more.

"Bah! The sound of a hearty kiss. Whom have you been kissing there, Marfusha?" some one's voice was heard from the adjoining room, and soon the closely cropped head of Vankin, the assistant school instructor, appeared in the doorway. "Whom have you been kissing here? A-a-ah! Very good! Sergey Kapitonich! A fine old man indeed! With the female sex tete-a-tete!"

"I wasn't kissing at all," said Akhineyev, confused; "who told you, you fool? I only—smacked my lips on account of—in consideration of my pleasure—at the sight of the fish."

"Tell that to some one else, not to me!" exclaimed Vankin, whose face expanded into a broad smile as he disappeared behind the door. Akhineyev blushed.

"Damn it!" he thought. "He'll go about tale-bearing now, the rascal. He'll disgrace me before the whole town, the brute!"

Akhineyev entered the parlor timidly and cast furtive glances to see what Vankin was doing. Vankin stood near the piano and, deftly bending down, whispered Something to the inspector's sister-in-law, who was laughing.

"That's about me!" thought Akhineyev. "About me, the devil take him! She believes him, she's laughing. My God! No, that mustn't be left like that. No. I'll have to fix it so that no one shall believe him. I'll speak to all of them, and he'll remain a foolish gossip in the end."

Марфа подошла к одной из скамей и осторожно приподняла засаленный газетный лист. Под этим листом, на огромнейшем блюде, покоился большой заливной осетр, пестревший каперсами, оливками и морковкой. Ахинеев поглядел на осетра и ахнул. Лицо его просияло, глаза подкатились. Он нагнулся и издал губами звук неподмазанного колеса. Постояв немного, он щелкнул от удовольствия пальцами и еще раз чмокнул губами.

- Ба! Звук горячего поцелуя... Ты с кем это здесь целуешься, Марфуша? - послышался голос из соседней комнаты, и в дверях показалась стриженая голова помощника классных наставников, Ванькина. - С кем это ты? А-а-а... очень приятно! С Сергей Капитонычем! Хорош дед, нечего сказать! С женским полонезом тет-а-тет!

- Я вовсе не целуюсь, - сконфузился Ахинеев, - кто это тебе, дураку, сказал? Это я тово... губами чмокнул в отношении... в рассуждении удовольствия... При виде рыбы...

- Рассказывай!

Голова Ванькина широко улыбнулась и скрылась за дверью. Ахинеев покраснел.

"Чёрт знает что! - подумал он. - Пойдет теперь, мерзавец, и насплетничает. На весь город осрамит, скотина..."

Ахинеев робко вошел в залу и искоса поглядел в сторону: где Ванькин? Ванькин стоял около фортепиано и, ухарски изогнувшись, шептал что-то смеявшейся свояченице инспектора.

"Это про меня! - подумал Ахинеев. - Про меня, чтоб его разорвало! А та и верит... и верит! Смеется! Боже ты мой! Нет, так нельзя оставить... нет... Нужно будет сделать, чтоб ему не поверили... Поговорю со всеми с ними, и он же у меня в дураках-сплетниках останется".

Akhineyev scratched his head, and, still confused, walked up to Padekoi.

"I was in the kitchen a little while ago, arranging things there for the supper," he said to the Frenchman. "You like fish, I know, and I have a sturgeon just so big. About two yards. Ha, ha, ha! Yes, by the way, I have almost forgotten. There was a real anecdote about that sturgeon in the kitchen. I entered the kitchen a little while ago and wanted to examine the food. I glanced at the sturgeon and for pleasure, I smacked my lips—it was so piquant! And just at that moment the fool Vankin entered and says —ha, ha, ha—and says: 'A-a! A-a-ah! You have been kissing here?'—with Marfa; just think of it— with the cook! What a piece of invention, that blockhead. The woman is ugly, she looks like a monkey, and he says we were kissing. What a queer fellow!"

"Who's a queer fellow?" asked Tarantulov, as he approached them.

"I refer to Vankin. I went out into the kitchen—"

The story of Marfa and the sturgeon was repeated.

.'That makes me laugh. What a queer fellow he is. In my opinion it is more pleasant to kiss the dog than to kiss Marfa," added Akhineyev, and, turning around, he noticed Mzda.

"We have been speaking about Vankin," he said to him. "What a queer fellow. He entered the kitchen and noticed me standing beside Marfa, and immediately he began to invent different stories. 'What?' he says, 'you have been kissing each other!' He was drunk, so he must have been dreaming. 'And I,' I said, 'I would rather kiss a duck than kiss Marfa. And I have a wife/ said I, 'you fool.' He made me appear ridiculous."

"Who made you appear ridiculous?" inquired the teacher of religion, addressing Akhineyev.

Ахинеев почесался и, не переставая конфузиться, подошел к Падекуа.

- Сейчас я в кухне был и насчет ужина распоряжался, - сказал он французу. - Вы, я знаю, рыбу любите, а у меня, батенька, осетр, вво! В два аршина! Хе-хе-хе... Да, кстати... чуть было не забыл... В кухне-то сейчас, с осетром с этим - сущий анекдот! Вхожу я сейчас в кухню и хочу кушанья оглядеть... Гляжу на осетра и от удовольствия... от пикантности губами чмок! А в это время вдруг дурак этот Ванькин входит и говорит... ха-ха-ха... и говорит: "А-а-а... вы целуетесь здесь?" С Марфой-то, с кухаркой! Выдумал же, глупый человек! У бабы ни рожи, ни кожи, на всех

зверей похожа, а он... целоваться! Чудак!

- Кто чудак? - спросил подошедший Тарантулов.

- Да вон тот, Ванькин! Вхожу, это, я в кухню... И он рассказал про Ванькина.

- Насмешил, чудак! А по-моему, приятней с барбосом целоваться, чем с Марфой, - прибавил Ахинеев, оглянулся и увидел сзади себя Мзду.

- Мы насчет Ванькина, - сказал он ему. - Чудачина! Входит, это, в кухню, увидел меня рядом с Марфой да и давай штуки разные выдумывать.

"Чего, говорит, вы целуетесь?" Спьяна-то ему примерещилось. А я, говорю, скорей с индюком поцелуюсь, чем с Марфой. Да у меня и жена есть, говорю,

дурак ты этакий. Насмешил!

- Кто вас насмешил? - спросил подошедший к Ахинееву отец-законоучитель.

"Vankin. I was standing in the kitchen, you know, and looking at the sturgeon—" And so forth. In about half an hour all the guests knew the story about Vankin and the sturgeon.

"Now let him tell," thought Akhineyev, rubbing his hands. "Let him do it. He'll start to tell them, and they'll cut him short: 'Don't talk nonsense, you fool! We know all about it.'"

And Akhineyev felt so much appeased that, for joy, he drank four glasses of brandy over and above his fill. Having escorted his daughter to her room, he went to his own and soon slept the sleep of an innocent child, and on the following day he no longer remembered the story of the sturgeon. But, alas! Man proposes and God disposes. The evil tongue does its wicked work, and even Akhineyev's cunning did not do him any good. One week later, on a Wednesday, after the third lesson, when Akhineyev stood in the teachers' room and discussed the vicious inclinations of the pupil Visyekin, the director approached him, and, beckoning to him, called him aside.

"See here, Sergey Kapitonich," said the director. "Pardon me. It isn't my affair, yet I must make it clear to you, nevertheless. It is my duty— You see, rumors are on foot that you are on intimate terms with that woman—with your cook— It isn't my affair, but— You may be on intimate terms with her, you may kiss her— You may do whatever you like, but, please, don't do it so openly! I beg of you. Don't forget that you are a pedagogue."

Akhineyev stood as though frozen and petrified. Like one stung by a swarm of bees and scalded with boiling water, he went home. On his way it seemed to him as though the whole town stared at him as at one besmeared with tar— At home new troubles awaited him.

"Why don't you eat anything?" asked his wife at their dinner. "What are you thinking about? Are you thinking about Cupid, eh? You are longing for Marfushka. I know everything already, you Mahomet. Kind people have opened my eyes, you barbarian!"

- Ванькин. Стою я, знаете, в кухне и на осетра гляжу...

И так далее. Через какие-нибудь полчаса уже все гости знали про историю с осетром и Ванькиным.

"Пусть теперь им рассказывает! - думал Ахинеев, потирая руки. - Пусть! Он начнет рассказывать, а ему сейчас: "Полно тебе, дурак, чепуху

городить! Нам всё известно!"

И Ахинеев до того успокоился, что выпил от радости лишних четыре рюмки. Проводив после ужина молодых в спальню, он отправился к себе и уснул, как ни в чем не повинный ребенок, а на другой день он уже не помнил истории с осетром. Но, увы! Человек предполагает, а бог располагает. Злой язык сделал свое злое дело, и не помогла Ахинееву его хитрость! Ровно через неделю, а именно в среду после третьего урока, когда Ахинеев стоял среди учительской и толковал о порочных наклонностях ученика Высекина, к нему подошел директор и отозвал его в сторону.

- Вот что, Сергей Капитоныч, - сказал директор. - Вы извините... Не мое это дело, но все-таки я должен дать понять... Моя обязанность... Видите ли, ходят слухи, что вы живете с этой... с кухаркой... Не мое это дело, но... Живите с ней, целуйтесь... что хотите, только, пожалуйста, не так гласно! Прошу вас! Не забывайте, что вы педагог!

Ахинеев озяб и обомлел. Как ужаленный сразу целым роем и как ошпаренный кипятком, он пошел домой. Шел он домой и ему казалось, что на него весь город глядит, как на вымазанного дегтем... Дома ожидала его новая беда.

- Ты что же это ничего не трескаешь? - спросила его за обедом жена. - О чем задумался? Об амурах думаешь? О Марфушке стосковался? Всё мне, махамет, известно! Открыли глаза люди добрые! У-у-у... варвар!

And she slapped him on the cheek.

He rose from the table, and staggering, without cap or coat, directed his footsteps toward Vankin. The latter was at home.

"You rascal!" he said to Vankin. "Why have you covered me with mud before the whole world? Why have you slandered me?"

"How; what slander? What are you inventing?"

"And who told everybody that I was kissing Marfa? Not you, perhaps? Not you, you murderer?"

Vankin began to blink his eyes, and all the fibres of his face began to quiver. He lifted his eyes toward the image and ejaculated:

"May God punish me, may I lose my eyesight and die, if I said even a single word about you to any one! May I have neither house nor home I"

Vankin's sincerity admitted of no doubt. It was evident that it was not he who had gossiped.

"But who was it? Who?" Akhineyev asked himself, going over in his mind all his acquaintances, and striking his chest.

"Who was it?" We ask the reader.

И шлеп его по щеке!.. Он встал из-за стола и, не чувствуя под собой земли, без шапки и пальто, побрел к Ванькину. Ванькина он застал дома.

- Подлец ты! - обратился Ахинеев к Ванькину. - За что ты меня перед всем светом в грязи выпачкал? За что ты на меня клевету пустил?

- Какую клевету? Что вы выдумываете!

- А кто насплетничал, будто я с Марфой целовался? Не ты, скажешь? Не ты, разбойник?

Ванькин заморгал и замигал всеми фибрами своего поношенного лица, поднял глаза к образу и проговорил:

- Накажи меня бог! Лопни мои глаза и чтоб я издох, ежели хоть одно слово про вас сказал! Чтоб мне ни дна, ни покрышки! Холеры мало!..

Искренность Ванькина не подлежала сомнению. Очевидно, не он насплетничал.

"Но кто же? Кто? - задумался Ахинеев, перебирая в своей памяти всех своих знакомых и стуча себя по груди. - Кто же?"

- Кто же? - спросим и мы читателя...

Honest Thief

Fyodor Dostoevsky

ONE morning, just as I was about to leave for my place of employment, Agrafena (my cook, laundress, and housekeeper all in one person) entered my room, and, to my great astonishment, started a conversation.

She was a quiet, simple-minded woman, who during the whole six years of her stay with me had never spoken more than two or three words daily, and that in reference to my dinner—at least, I had never heard her.

"I have come to you, sir," she suddenly began, "about the renting out of the little spare room." "What spare room?"

"The one that is near the kitchen, of course; which should it be?" "Why?"

"Why do people generally take lodgers? Because."

"But who will take it?"

"Who will take it! A lodger, of course! Who should take it?"

"But there is hardly room in there, mother mine, for a bed; it will be too cramped. How can one live in it?"

"But why live in it! He only wants a place to sleep in; he will live on the window-seat." "What window-seat?"

"How is that? What window-seat? As if you did not know! The one in the hall. He will sit on it and sew, or do something else. But maybe he will sit on a chair; he has a chair of his.own—and a table also, and everything."

"But who is he?"

Честный вор

Федор Достоевский

Однажды утром, когда я уже совсем собрался идти в должность, вошла ко мне Аграфена, моя кухарка, прачка и домоводка, и, к удивлению моему, вступила со мной в разговор.

До сих пор это была такая молчаливая, простая баба, что, кроме ежедневных двух слов о том, чего приготовить к обеду, не сказала лет в шесть почти ни слова. По крайней мере я более ничего не слыхал от нее.

- Вот я, сударь, к вам, - начала она вдруг, - вы бы отдали внаем каморку.

- Какую каморку?

- Да вот что подле кухни. Известно какую.

- Зачем?

- Зачем! затем, что пускают же люди жильцов. Известно зачем.

- Да кто ее наймет?

- Кто наймет! Жилец наймет. Известно кто.

- Да там, мать моя, и кровати поставить нельзя; тесно будет. Кому ж там жить?

- Зачем там жить! Только бы спать где было; а он на окне будет жить.

- На каком окне?

- Известно на каком, будто не знаете! На том, что в передней. Он там будет сидеть, шить или что-нибудь делать. Пожалуй, и на стуле сядет. У него есть стул; да и стол есть; всё есть.

- Кто ж он такой?

"A nice, worldly-wise man. I will cook for him and will charge him only three rubles in silver a month for room and board—"

At last, after long endeavor, I found out that some elderly man had talked Agrafena into taking him into the kitchen as lodger. When Agrafena once got a thing into her head that thing had to be; otherwise I knew I would have no peace. On those occasions when things did go against her wishes, she immediately fell into a sort of brooding, became exceedingly melancholy, and continued in that state for two or three weeks. During this time the food was invariably spoiled, the linen was missing, the floors unscrubbed; in a word, a lot of unpleasant things happened. I had long ago become aware of the fact that this woman of very few words was incapable of forming a decision, or of coming to any conclusion based on her own thoughts; and yet when it happened that by some means there had formed in her weak brain a sort of idea or wish to undertake a thing, to refuse her permission to carry out this idea or wish meant simply to kill her morally for some time. And so, acting in the sole interest of my peace of mind, I immediately agreed to this new proposition of hers.

"Has he at least the necessary papers, a passport, or anything of the kind?"

"How then? Of course he has. A fine man like him—who has seen the world— He promised to pay three rubles a month."

On the very next day the new lodger appeared in my modest bachelor quarters; but I did not feel annoyed in the least—on the contrary, in a way I was glad of it. I live a very solitary, hermit-like life. I have almost no acquaintance and seldom go out. Having led the existence of a moor-cock for ten years, I was naturally used to solitude. But ten, fifteen years or more of the same seclusion in company with a person like Agrafena, and in the same bachelor dwelling, was indeed a joyless prospect. Therefore, the presence of another quiet, unobtrusive man in the house was, under these circumstances, a real blessing.

- Да хороший, бывалый человек. Я ему буду кушанье готовить. И за квартиру, за стол буду всего три рубля серебром в месяц брать...

Наконец я, после долгих усилий, узнал, что какой-то пожилой человек уговорил или как-то склонил Аграфену пустить его в кухню, в жильцы и в нахлебники. Что Аграфене пришло в голову, тому должно было сделаться; иначе, я знал, что она мне покоя не даст. В тех случаях, когда что-нибудь было не по ней, она тотчас же начинала задумываться, впадала в глубокую меланхолию, и такое состояние продолжалось недели две или три. В это время портилось кушанье, не досчитывалось белье, полы не были вымыты, - одним словом, происходило много неприятностей. Я давно заметил, что эта бессловесная женщина не в состоянии была составить решения, установиться на какой-нибудь собственно ей принадлежащей мысли. Но уж если в слабом мозгу ее каким-нибудь случайным образом складывалось что-нибудь похожее на идею, на предприятие, то отказать ей в исполнении значило на несколько времени морально убить ее. И потому, более всего любя собственное спокойствие, я тотчас же согласился.

- Есть ли по крайней мере у него вид какой-нибудь, паспорт или что-нибудь?

- Как же! известно есть. Хороший, бывалый человек; три рубля обещался давать.

На другой же день в моей скромной, холостой квартире появился новый жилец; но я не досадовал, даже про себя был рад. Я вообще живу уединенно, совсем затворником. Знакомых у меня почти никого; выхожу я редко. Десять лет прожив глухарем, я, конечно, привык к уединению. Но десять, пятнадцать лет, а может быть, и более такого же уединения, с такой же Аграфеной, в той же холостой квартире, - конечно, довольно бесцветная перспектива! И потому лишний смирный человек при таком порядке вещей - благодать небесная!

Agrafena had spoken the truth: the lodger was a man who had seen much in his life. From his passport it appeared that he was a retired soldier, which I noticed even before I looked at the passport.

As soon as I glanced at him in fact.

Astafi Ivanich, my lodger, belonged to the better sort of soldiers, another thing I noticed as soon as I saw him. We liked each other from the first, and our life flowed on peacefully and comfortably. The best thing was that Astafi Ivanich could at times tell a good story, incidents of his own life. In the general tediousness of my humdrum existence, such a nar6rator was a veritable treasure. Once he told me a story which has made a lasting impression upon me; but first the incident which led to the story.

Once I happened to be left alone in the house, Astafi and Agrafena having gone out on business. Suddenly I heard some one enter, and I felt that it must be a stranger; I went out into the corridor and found a man of short stature, and notwithstanding the cold weather, dressed very thinly and without an overcoat.

"What is it you want?"

"The Government clerk Alexandrov? Does he live here?"

"There is no one here by that name, little brother; good day."

"The porter told me he lived here," said the visitor, cautiously retreating toward the door.

"Go on, go on, little brother; be off!"

Soon after dinner the next day, when Astafi brought in my coat, which he had repaired for me, I once more heard a strange step in the corridor. I opened the door.

The visitor of the day before, calmly and before my very eyes, took my short coat from the rack, put it under his arm, and ran out.

Аграфена не солгала: жилец мой был из бывалых людей. По паспорту оказалось, что он из отставных солдат, о чем я узнал, и не глядя на паспорт, с первого взгляда, по лицу. Это легко узнать. Астафий Иванович, мой жилец, был из хороших между своими. Зажили мы хорошо. Но всего лучше было, что Астафий Иванович подчас умел рассказывать истории, случаи из собственной жизни. При всегдашней скуке моего житья-бытья такой рассказчик был просто клад. Раз он мне рассказал одну из таких историй. Она произвела на меня некоторое впечатление. Но вот по какому случаю произошел этот рассказ.

Однажды я остался в квартире один: и Астафий и Аграфена разошлись по делам. Вдруг я услышал из второй комнаты, что кто-то вошел, и, показалось мне, чужой; я вышел: действительно, в передней стоял чужой человек, малый невысокого роста, в одном сюртуке, несмотря на холодное, осеннее время.

- Чего тебе?

- Чиновника Александрова; здесь живет?

- Такого нет, братец; прощай.

- Как же дворник сказал, что здесь, - проговорил посетитель, осторожно ретируясь к дверям.

- Убирайся, убирайся, братец; пошел.

На другой день после обеда, когда Астафий Иванович примерял мне сюртук, который был у него в переделке, опять кто-то вошел в переднюю. Я приотворил дверь.

Вчерашний господин, на моих же глазах, преспокойно снял с вешалки мою бекешь, сунул ее под мышку и пустился вон из квартиры. Аграфена всё время смотрела на него, разинув рот от удивления, и больше ничего не сделала для защиты бекеши. Астафий Иванович пустился вслед за мошенником и через десять минут воротился, весь запыхавшись, с пустыми руками. Сгинул да пропал человек!

Agrafena, who had all the time been looking at him in open-mouthed surprise through the kitchen door, was seemingly unable to stir from her place and rescue the coat. But Astafi Ivanich rushed after the rascal, and, out of breath and panting, returned emptyhanded. The man had vanished as if the earth had swallowed him. Then once more he resumed his work, only to throw it away again, and I saw him go down to the porter, tell him what had happened, and reproach him with not taking sufficient care of the house, that such a theft could be perpetrated in it. When he returned he began to upbraid Agrafena. Then he again resumed his work, muttering to himself for a long time —how this is the way it all was—how he stood here, and I there, and how before our very eyes, no farther than two steps away, the coat was taken off its hanger, and so on. In a word, Astafi Ivanich, though he knew how to do certain things, worried a great deal over trifles.

"It is too bad, really, Astafi Ivanich," I said. "It is well that I have my cloak left. Otherwise the scoundrel would have put me out of service altogether."

"We have been fooled, Astafi Ivanich," I said to him that evening, handing him a glass of tea, and hoping from sheer ennui to call forth the story of the lost coat again, which by dint of much repetition had begun to sound extremely comical.

"Yes, we were fooled, sir. It angers me very much, though the loss is not mine, and I think there is nothing so despicably low in this world as a thief. They steal what you buy by working in the sweat of your brow— Your time and labor— The loathsome creature! It sickens me to talk of it—evil! It makes me angry to think of it. How is it, sir, that you do not seem to be at all sorry about it?"

Но Астафия Ивановича всё это так поразило, что я даже позабыл о покраже, на него глядя. Он опомниться не мог. Поминутно бросал работу, которою был занят, поминутно начинал сызнова рассказывать дело, каким это образом всё случилось, как он стоял, как вот в глазах, в двух шагах, сняли бекешь и как это всё устроилось, что и поймать нельзя было. Потом опять садился за работу; потом опять бросал всё, и я видел, как, наконец, пошел он к дворнику рассказать и попрекнуть его, что на своем дворе таким делам быть попускает. Потом воротился и Аграфену начал бранить. Потом опять сел за работу и долго еще бормотал про себя, что вот как это всё дело случилось, как он тут стоял, а я там и как вот в глазах, в двух шагах, сняли бекешь и т. д. Одним словом, Астафий Иванович хотя дело сделать умел, однако был большой кропотун и хлопотун.

- Ну, неудача, Астафий Иванович. Хорошо еще, что шинель нам осталась! А то бы совсем посадил на мель, мошенник!

- Одурачили нас с тобой, Астафий Иваныч! - сказал я ему вечером, подавая ему стакан чая и желая от скуки опять вызвать рассказ о пропавшей бекеше, который от частого повторения и от глубокой искренности рассказчика начинал становиться очень комическим.

- Одурачили, сударь! Да просто вчуже досадно, зло пробирает, хоть и не моя одежа пропала. И, по-моему, нет гадины хуже вора на свете. Иной хоть задаром берет, а этот твой труд, пот, за него пролитой, время твое у тебя крадет... Гадость, тьфу! говорить не хочется, зло берет. Как это вам, сударь, своего добра не жалко?

"To be sure, Astafi Ivanich, one would much sooner see his things burn up than see a thief take them. It is exasperating—"

"Yes, it is annoying to have anything stolen from you. But of course there are thieves and thieves— I, for instance, met an honest thief through an accident."

"How is that? An honest thief? How can a thief be honest, Astafi Ivanich?"

"You speak truth, sir. A thief can not be an honest man. There never was such. I only wanted to say that he was an honest man, it seems to me, even though he stole. I was very sorry for him."

"And how did it happen, Astafi Ivanich?"

"It happened just two years ago. I was serving as house steward at the time, and the baron whom I served expected shortly to leave for his estate, so that I knew I would soon be out of a job, and then God only knew how I would be able to get along; and just then it was that I happened to meet in a tavern a poor forlorn creature, Emelian by name. Once upon a time he had served somewhere or other, but had been driven out of service on account of tippling. Such an unworthy creature as he was! He wore whatever came along. At times I even wondered if he wore a shirt under his shabby cloak; everything he conld put his hands on was sold for drink. But he was not a rowdy. Oh, no; he was of a sweet, gentle nature, very kind and tender to every one; he never asked for anything, was, if anything, too conscientious— Well, you could eee without asking when the poor fellow was dying for a drink, and of course you treated him to one. Well, we became friendly, that is, he attached himself to me like a little dog—you go this way, he follows— and all this after our very first meeting.

- Да, оно правда, Астафий Иваныч; уж лучше сгори вещь, а вору уступить досадно, не хочется.

- Да уж чего тут хочется! Конечно, вор вору розь... А был, сударь, со мной один случай, что попал я и на честного вора.

- Как на честного! Да какой же вор честный, Астафий Иваныч?

- Оно, сударь, правда! Какой же вор честный, и не бывает такого. Я только хотел сказать, что честный, кажется, был человек, а украл. Просто жалко было его.

- А как это было, Астафий Иваныч?

- Да было, сударь, тому назад года два. Пришлось мне тогда без малого год быть без места, а когда еще доживал я на месте, сошелся со мной один пропащий совсем человек. Так, в харчевне сошлись. Пьянчужка такой, потаскун, тунеядец, служил прежде где-то, да его за пьяную жизнь уж давно из службы выключили. Такой недостойный! ходил он уж бог знает в чем! Иной раз так думаешь, есть ли рубашка у него под шинелью; всё, что ни заведется, пропьет. Да не буян; характером смирен, такой ласковый, добрый, и не просит, всё совестится: ну, сам видишь, что хочется выпить бедняге, и поднесешь. Ну, так-то я с ним и сошелся, то есть он ко мне привязался... мне-то всё равно. И какой был человек! Как собачонка привяжется, ты туда - и он за тобой; а всего один раз только виделись, мозгляк такой!

"Of course he remained with me that night; his passport was in order and the man seemed all right. On the second night also. On the third he did not leave the house, sitting on the window-seat of the corridor the whole day, and of course he remained over that night too. Well, I thought, just see how he has forced himself upon you. You have to give him to eat and to drink and to shelter him. All a poor man needs is some one to sponge upon him. I soon found out that once before he had attached himself to a man just as he had now attached himself to me; they drank together, but the other one soon died of some deepseated sorrow. I thought and thought: What shall I do with him? Drive him out—my conscience would not allow it—I felt very sorry for him: he was such a wretched, forlorn creature, terrible! And so dumb he did not ask for anything, only sat quietly and looked you straight in the eyes, just like a faithful little dog. That is how drink can ruin a man. And I thought to myself: Well, suppose I say to him: 'Get out of here, Emelian; you have nothing to do in here, you come to the wrong person; I will soon have nothing to eat myself, so how do you expect me to feed *you?*' And I tried to imagine what he would do after I'd told him all this. And I could see how he would look at me for a long time after he had heard me, without understanding a word; how at last he would understand what I was driving at, and, rising from the window-seat, take his little bundle—I see it before me now—a red-checked little bundle full of holes, in which he kept God knows what, and which he carted along with him wherever he went; how he would brush and fix up his worn cloak a little, so that it would look a bit more decent and not show so much the holes and patches—he was a man of very fine feelings! How he would have opened the door afterward and would have gone forth with tears in his eyes.

Сначала пусти его переночевать - ну, пустил; вижу, и паспорт в порядке, человек ничего! Потом, на другой день, тоже пусти его ночевать, а там и на третий пришел, целый день на окне просидел; тоже ночевать остался. Ну, думаю, навязался ж он на меня: и пой и корми его, да еще ночевать пускай, - вот бедному человеку, да еще нахлебник на шею садится. А прежде он тоже, как и ко мне, к одному служащему хаживал, привязался к нему, вместе всё пили; да тот спился и умер с какого-то горя. А этого звали Емелей, Емельяном Ильичом. Думаю, думаю: как мне с ним быть? прогнать его - совестно, жалко: такой жалкий, пропащий человек, что Я господи! И бессловесный такой, не просит, сидит себе, только как собачонка в глаза тебе смотрит. То есть вот как пьянство человека испортит!

Думаю про себя: как скажу я ему: ступай-ка ты, Емельянушка, вон; нечего тебе делать у меня; не к тому попал; самому скоро перекусить будет нечем, как же мне держать тебя на своих харчах? Думаю, сижу, что он сделает, как я такое скажу ему? Ну, и вижу сам про себя, как бы долго он глядел на меня, когда бы услыхал мою речь, как бы долго сидел и не понимал ни слова, как бы потом, когда вдомек бы взял, встал бы с окна, взял бы свой узелок, как теперь вижу, клетчатый, красный, дырявый, в который бог знает что завертывал и всюду С собой носил, как бы оправил свою шинелишку, так, чтоб и прилично было, и тепло, да и дырьев было бы не видать, - деликатный был человек! как бы отворил потом дверь да и вышел бы с слезинкой на лестницу.

"Well, should a man be allowed to perish altogether? I all at once felt heartily sorry for him; but at the same time I thought: And what about me, am I any better off? And I said to myself: Well, Emelian, you will not feast overlong at my expense; soon I shall have to move from here myself, and then you will not find me again. Well, sir, my baron soon left for his estate with all his household, telling me before he went that he was very well satisfied with my services, and would gladly employ me again on his return to the capital. A fine man my baron was but he died the same year.

"Well, after I had escorted my baron and his family a little way, I took my things and the little money I had saved up, and went to live with an old woman I knew, who rented out a corner of the room she occupied by herself. She used to be a nurse in some wellto-do family, and now, in her old age, they had pensioned her off. Well, I thought to myself, now it is good-by to you, Emelian, dear man, you will not find me now! And what do you think, sir? When I returned in the evening—I had paid a visit to an acquaintance of mine—whom should I see but Emelian sitting quietly upon my trunk with his red-checked bundle by his side. He was wrapped up in his poor little cloak, and was awaiting my home-coming. He must have been quite lonesome, because he had borrowed a prayer-book of the old woman and held it upside down. He had found me after all! My hands fell helplessly at my sides. Well, I thought, there is nothing to be done, why did I not drive him away first off? And I only asked him:

'Have you taken your passport along, Emelian?' Then I sat down, sir, and began to turn the matter oyer in my mind: Well, could he, a roving man, be much in my way? And after I had considered it well, I decided that he would not, and besides, he would be of very little expense to me. Of course, he would have to be fed, but what does that amount to? Some bread in the morning and, to make it a little more appetizing, a little onion or so.

Ну, не пропадать же совсем человеку... жалко стало! А тут потом, думаю, мне-то самому каково! Постой же, смекаю про себя, Емельянушка, недолго тебе у меня пировать; вот скоро съеду, тогда не найдешь. Ну-с, сударь, съехали мы; тогда еще Александр Филимонович, барин …теперь покойник, царство ему небесное…, говорят: очень остаюсь тобою доволен, Астафий, воротимся все из деревни, не забудем тебя, опять возьмем. А я у них в дворецких проживал, - добрый был барин, да умер в том же году. Ну, как проводили мы их, взял я свое добро, деньжонок кой-каких было, думаю, попокоюсь себе, да и съехал я к одной старушоночке, угол занял у ней. А у ней и всего-то один угол свободный был. Тоже в нянюшках где-то была, так теперь особо жила, пенсион получала. Ну, думаю, прощай теперь, Емельянушка, родной человек, не найдешь ты меня! Что ж, сударь, думаете? Воротился я повечеру и первого вижу Емелю, сидит себе у меня на сундуке, и клетчатый узелок подле него, сидит в шинелишке, меня поджидает... да от скуки еще книжку церковную у старухи взял, вверх ногами держит. Нашел-таки! И руки у меня опустились. Ну, думаю, нечего делать, зачем сначала не гнал? Да прямо и спрашиваю:

"Принес ли паспорт, Емеля?" Я тут, сударь, сел да начал раздумывать: что ж он, скитающийся человек, много ль помехи мне сделает? И вышло, по раздумье, что немногого будет стоить помеха, Кушать ему надо, думаю. Ну, хлебца кусочек утром, да чтоб приправа посмачнее была, так лучку купить.

For the midday meal again some bread and onion, and for the evening again onion and bread, and some kvass, and, if some cabbage-soup should happen to come our way, then we could both fill up to the throat. I ate little, and Emelian, who was a drinking man, surely ate almost nothing: all he wanted was vodka. He would be the undoing of me with his drinking; but at the same time I felt a curious feeling creep over me. It seemed as if life would be a burden to me if Emelian went away. And so I decided then and there to be his father-benefactor. I would put him on his legs, I thought, save him from perishing, and gradually wean him from drink. Just you wait, I thought. Stay with me, Emelian, but stand pat now. Obey the word of command!

"Well, I thought to myself, I will begin by teaching him some work, but not at once; let him first enjoy himself a bit, and I will in the mean while look around and discover what he finds easiest, and would be capable of doing, because you must know, sir, a man must have a calling and a capacity for a certain work to be able to do it properly. And I began stealthily to observe him. And a hard subject he was, that Emelian! At first I tried to get at him with a kind word. Thus and thus I would speak to him: 'Emelian, you had better take more care of yourself and try to fix yourself up a little. "'Give up drinking. Just look at yourself, man, you are all ragged, your cloak looks more like a sieve than anything else. It is not nice. It is about time for you to come to your senses and know when you have had enough.'

"He listened to me, my Emelian did, with lowered head; he had already reached that state, poor fellow, when the drink affected his tongue and he could not utter a sensible word. You talk to him about cucumbers, and he answers beans. He listened, listened to me for a long time, and then he would sigh deeply.

"'What are you sighing for, Emelian?' I ask him.

Да в полдень ему тоже хлебца да лучку дать; да повечерять тоже лучку с квасом да хлебца, если хлебца захочет. А навернутся щи какие-нибудь, так мы уж оба по горлышко сыты. Я-то есть много не ем, а пьющий человек, известно, ничего не ест: ему бы только настоечкн да зелена винца. Доконает он меня на питейном, подумал я, да тут же, сударь, и другое в голову пришло, и ведь как забрало меня. Да так, что вот если б Емеля ушел, так я бы жизни не рад был... Порешил же я тогда быть ему отцом-благодетелем. Воздержу, думаю, его от злой гибели, отучу его чарочку знать! Постой же ты, думаю: ну, хорошо, Емеля, оставайся, да только держись теперь у меня, слушай команду!

Вот и думаю себе: начну-ка я его теперь к работе какой приучать, да не вдруг; пусть сперва погуляет маленько, а я меж тем приглянусь, поищу, к чему бы такому, Емеля, способность найти в тебе. Потому что на всякое дело, сударь, наперед всего человеческая способность нужна. И стал я к нему втихомолку приглядываться. Вижу: отчаянный ты человек, Емельянушка! Начал я, сударь, сперва с доброго слова: так и сяк, говорю, Емельян Ильич, ты бы на себя посмотрел да как-нибудь там пооправился. Полно гулять! Смотри-ка, в отрепье весь ходишь, шинелишка-то твоя, простительно сказать, на решето годится; нехорошо! Пора бы, кажется, честь знать.

Сидит, слушает меня понуря голову мой Емельянушка. Чего, сударь! Уж до того дошел, что язык пропил, слова путного сказать не умеет. Начнешь ему про огурцы, а он тебе на бобах откликается! слушает меня, долго слушает, а потом и вздохнет.

- Чего ж ты вздыхаешь, спрашиваю, Емельян Ильич?

"'Oh, it is nothing, Astafi Ivanich, do not worry. Only what I saw to-day, Astafi Ivanich—two women fighting about a basket of huckleberries that one of them had upset by accident.'

"'Well, what of that?'

"'And the woman whose berries were scattered snatched a like basket of huckleberries from the other woman's hand, and not only threw them on the ground, but stamped all over them.'

"'Well, but what of that, Emelian?'

"'Ech!' I think to myself, 'Emelian. You have lost your poor wits through the cursed drink!'

"'And again,' Emelian says, 'a baron lost a bill on the Gorokhova Street—or was it on the Sadova? A muzhik saw him drop it, and says, "My luck," but here another one interfered and says, "No, it is my luckl I saw it first. . . ."'

"Well, Emelian?'

"'And the two muzhiks started a fight, Astafi Ivanich, and the upshot was that a policeman came, picked up the money, handed it back to the baron, and threatened to put the muzhiks under lock for raising a disturbance.'

"'But what of that? What is there wonderful or edifying in that, Emelian?'

"'Well, nothing, but the people laughed, Astafi Ivanich.'

"'E-ch, Emelian! What have the people to do with it?' I said. 'You have sold your immortal soul for a copper. But do you know what I will tell you, Emelian?' "«What, Astafi Ivanich?'

"'You'd better take up some work, really you should. I am telling you for the hundredth time that you should have pity on yourself.

"'But what shall I do, Astafi Ivanich? I do not know where to begin and no one would employ me, Astafi Ivanich.'

- Да так-с, ничего, Астафий Иваныч, не беспокойтесь. А вот сегодня две бабы, Астафий Иваныч, подрались на улице, одна у другой лукошко с клюквой невзначай рассыпала.

- Ну, так что ж?

- А другая за то ей нарочно ее же лукошко с клюквой рассыпала, да еще ногой давить начала.

- Ну, так что ж, Емельян Ильич?

- Да ничего-с, Астафий Иваныч, я только так.

"Ничего-с, только так. Э-эх! думаю, Емеля, Емелюшка! пропил-прогулял ты головушку!.."

- А то барин ассигнацию обронил на панели в Гороховой, то бишь в Садовой. А мужик увидал, говорит: мое счастье; а тут другой увидал, говорит: нет, мое счастье! Я прежде твоего увидал...

- Ну, Емельян Ильич.

- И задрались мужики, Астафий Иваныч. А городовой подошел, поднял ассигнацию и отдал барину, а мужиков обоих в будку грозил посадить.

- Ну, так что ж? что же тут такого назидательного есть. Емельянушка?

- Да я ничего-с. Народ смеялся, Астафий Иваныч.

- Э-эх, Емельянушка! что народ! Продал ты за медный алтын свою душеньку. А знаешь ли что, Емельян Ильич, я скажу-то тебе? ‘ Чего-с, Астафий Иваныч? ‘

- Возьми-ка работу какую-нибудь, право, возьми. В сотый говорю, возьми, пожалей себя!

- Что же мне взять такое, Астафий Иваныч? я уж и не знаю, что я такое возьму; и меня-то никто не возьмет, Астафий Иваныч.

"'That is why they drove you out of service, Emelian; it is all on account of drink!'

"'And to-day,' said Emelian, 'they called Vlass the barkeeper into the office.'

"'What did they call him for, Emelian?' I asked.

"'I don't know why, Astafi Ivanich. I suppose it was needed, so they called him.'

"'Ech,' I thought to myself, 'no good will come of either of us, Emelian! It is for our sins that God is punishing us!'

"Well, what could a body do with such a man, sir!

"But he was sly, the fellow was, I tell you! He listened to me, listened, and at last it seems it began to tire him, and as quick as he would notice that I was growing angry he would take his cloak and slip out— and that was the last to be seen of him! He would not show up the whole day, and only in the evening would he return, as drunk as a lord. Who treated him to drinks, or where he got the money for it, God only knows; not from me, surely! . . »

"'Well/ I say to him, 'Emelian, you will have to give up drink, do you hear? you will have to give it up! The next time you return tipsy, you will have to sleep on the stairs. I'll not let you in!'

"After this Emelian kept to the house for two days; on the third he once more sneaked out. I wait and wait for him; he does not come! I must confess that I was kind of frightened; besides, I felt terribly sorry for him. What had I done to the poor devil! I thought. I must have frightened him off. Where could he have gone to now, the wretched creature? Great God, he may perisK yet! The night passed and he did not return. In the morning I went out into the hall, and he was lying there with his head on the lower step, almost stiff with cold.

"'What is the matter with you, Emelian? The Lord save you! Why are you here?'

- За то ж тебя и из службы изгнали, Емеля, пьющий ты человек!

- А то вот Власа-буфетчика в контору позвали сегодня, Астафий Иваныч.

- Зачем же, говорю, позвали его, Емельянушка?

- А вот уж и не знаю зачем, Астафий Иваныч. Значит, уж оно там нужно так было, так и потребовали...

"Э-эх! думаю, пропали мы оба с тобой, Емельянушка! За грехи наши нас господь наказует!" Ну, что с таким человеком делать прикажете, сударь!

Только хитрый был парень, куды! Слушал он, слушал меня, да потом, знать, ему надоело, чуть увидит, что я осерчал, возьмет шинелишку да и улизнет - поминай как звали! день прошатается, придет под вечер пьяненький. Кто его поил, откуда он деньги брал, уж господь его ведает, не моя в том вина виновата!..

- Нет, говорю, Емельян Ильич, не сносить тебе головы! Полно пить, слышишь ты, полно! Другой раз, коли пьяный воротишься, на лестнице будешь у меня ночевать. Не пущу!..

Выслушав наказ, сидит мой Емеля день, другой; на третий опять улизнул. Жду-пожду, не приходит! Уж я, признаться сказать, перетрусил, да и жалко мне стало. Что я делал над ним? думаю. Запугал я его. Ну, куда он пошел теперь, горемыка? пропадет, пожалуй, господи бог мой! Ночь пришла, нейдет. Наутро вышел я в сени, смотрю, а он в сенях почивать изволит. На приступочку голову положил и лежит; окостенел от стужи совсем.

- Что ты, Емеля? Господь с тобой! Куда ты попал?

"'But you know, Astafi Ivanich,' he replied, 'you were angry with me the other day; I aggravated you, and you promised to make me sleep in the hall, and I—so I—did not dare—to come in—and lay down here.'

"'It would be better for you, Emelian/ I said, filled with anger and pity, 'to find a better employment than needlessly watching the stairs!'

"'But what other employment, Astafi Ivanich?'

"'Well, wretched creature that you are,' here anger had flamed up in me, 'if you would try to learn the tailoring art. Just look at the cloak you are wearing! Not only is it full of holes, but you are sweeping the stairs with it! You should at least take a needle and mend it a little, so it would look more decent. E-ch, a wretched tippler you are, and nothing more!'

"Well, sir! What do you think! He did take the needle—I had told him only for fun, and there he got scared and actually took the needle. He threw off his cloak and began to put the thread through; well, it was easy to see what would come of it; his eyes began to fill and reddened, his hands trembled! He pushed and pushed the thread—could not get it through: he wetted it, rolled it between his fingers, smoothed it out, but it would not—go! He flung it from him and looked at me.

"'Well, Emelian!' I said, 'you served me right! If people had seen it I would have died with shame! I only told you all this for fun, and because I was angry with you. Never mind sewing; may the Lord keep you from sin! You need not do anything, only keep out of mischief, and do not sleep on the stairs and put me to shame thereby!'

"'But what shall I do, Astafi Ivanich; I know myself that I am always tipsy and unfit for anything! I only make you, my be—benefactor, angry for nothing.'

- Да вы, энтого, Астафий Иваныч, сердились намедни, огорчаться изволили и обещались в сенях меня спать положить, так я, энтого, и не посмел войти, Астафий Иваныч, да и лег тут... И злость и жалость взяли меня!

- Да ты б, Емельян, хоть бы другую какую-нибудь должность взял, говорю. Чего лестницу-то стеречь!..

- Да какую ж бы другую должность, Астафий Иваныч?

- Да хоть бы ты, пропащая ты душа, говорю зло меня такое взяло!, хоть бы ты портняжному-то искусству повыучился. Ишь у тебя шинель-то какая! Мало что в дырьях, так ты лестницу ею метешь! взял бы хоть иголку да дырья-то свои законопатил, как честь велит. Э-эх, пьяный ты человек!

Что ж, сударь! и взял он иглу; ведь я ему на смех сказал, а он оробел да и возьми. Скинул шинелишку и начал нитку в иглу вдевать. Я гляжу на него; ну, дело известное, глаза нагноились, покраснели; руки трепещут, хоть ты што! совал, совал - не вдевается нитка; уж он как примигивался: и помусолит-то, и посучит в руках - нет! бросил, смотрит на меня...

- Ну, Емеля, одолжил ты меня! было б при людях, так голову срезал бы! Да ведь я тебе, простому такому человеку, на смех, в укору сказал... Уж ступай, бог с тобой, от греха! сиди так, да срамного дела не делай, по лестницам не ночуй, меня не срами!..

- Да что же мне делать-то, Астафий Иваныч; я ведь и сам знаю, что всегда пьяненький и никуда не гожусь!.. Только вас, моего бла... благо-детеля, в сердце ввожу понапрасну...

"And suddenly his bluish lips began to tremble, and a tear rolled down his unshaven, pale cheek, then another and another one, and he broke into a very flood of tears, my Emelian. Father in Heaven! I felt as if some one had cut me over the heart with a knife.

"'E-ch you, sensitive man; why, I never thought! And who *could* have thought such a thing! No, I'd tetter give you up altogether, Emelian; do as you please.'

"Well, sir, what else is there to tell! But the whole thing is so insignificant and unimportant, it is really not worth while wasting words about it; for instance, you, sir, would not give two broken groschen for it; but I, I would give much, if I had much, that this thing had never happened! I owned, sir, a pair of breeches, blue, in checks, a first-class article, the devil take them—a rich landowner who came here on business ordered them from me, but refused afterward to take them, saying that they were too tight, and left them with me. Well, I thought, the cloth is of first-rate quality! I can get five rubles for them in the old-clothes market-place, and, if not, I can cut a fine pair of pantaloons out of them for some St. Petersburg gent, and have a piece left over for a vest for myself. Everything counts with a poor man! And Emelian was at that time in sore straits. I saw that he had given up drinking, first one day, then a second, and a third, and looked so downhearted and sad. Well, I thought, it is either that the poor fellow lacks the necessary coin or maybe he has entered on the right path, and has at last listened to good sense. Well, to make a long story short, an important holiday came just at that time, and I went to vespers. When I came back I saw Emelian sitting on the window-seat as drunk as a lord. Eh! I thought, so that is what you are about! And I go to my trunk to get out something I needed. I look! The breeches are not there.

Да тут как затрясутся у него вдруг его синие губы, как покатилась слезинка по белой щеке, как задрожала эта слезинка на его бороденке небритой, да как зальется, прыснет вдруг целой пригоршней слез мой Емельян... Батюшки! словно ножом мне полоснуло по сердцу.

"Эх ты, чувствительный человек, совсем и не думал я! Кто бы знал, кто гадал про то?.. Нет, думаю, Емеля, отступлюсь от тебя совсем; пропадай как ветошка!.."

Ну, сударь, что тут еще долго рассказывать! Да и вся-то вещь такая пустая, мизерная, слов не стоит, то есть вы, сударь, примерно сказать, за нее двух сломанных грошей не дадите, а я-то бы много дал, если б у меня много было, чтоб только всего того не случилось! Были у меня, сударь, рейтузы, прах их возьми, хорошие, славные рейтузы, синие с клетками, а заказывал мне их помещик, который сюда приезжал, да отступился потом, говорит: узки; так они у меня на руках и остались. Думаю: ценная вещь! в Толкучем целковых пять, может, дадут, а нет, так я из них двое панталон петербургским господам выгадаю, да еще хвостик мне на жилетку останется. Оно бедному человеку, нашему брату, знаете, всё хорошо! А у Емельянушки на ту пору прилучись время суровое, грустное. Смотрю: день не пьет, другой не пьет, третий - хмельного в рот не берет, осовел совсем, индо жалко, сидит подгорюнившись. Ну, думаю: али куплева, парень, нет у тебя, аль уж ты сам на путь божий вошел да баста сказал, резону послушался. Вот, сударь, так это всё и было; а на ту пору случись праздник большой. Я пошел ко всенощной; прихожу - сидит мой Емеля на окошечке, пьяненький, покачивается. Э-ге! думаю, так-то ты, парень! да и пошел зачем-то в сундук. Глядь! а рейтуз-то и нету!..

“I rummage about in this place and that place: gone! Well, after I had searched all over and saw that they were missing for fair, I felt as if something had gone through me! I went after the old woman—as to Emelian, though there was evidence against him in his being drunk, I somehow never thought of him!

"'No,' says my old woman; 'the good Lord keep you, gentleman, what do I need breeches for? can I wear them? I myself missed a skirt the other day. I know nothing at all about it.'

"'Well,' I asked, 'has any one called here?'

"'No one called,' she said. 'I was in all the time; your friend here went out for a short while and then came back; here he sits! Why don't you ask him?'

"'Did you happen, for some reason or other, Emelian, to take the breeches out of the trunk? The ones, you remember, which were made for the landowner?'

"'No,' he says, 'I have not taken them, Astafi Ivanich.'

"'What *could* have happened to them?' Again I began to search, but nothing came of it! And Emelian sat and swayed to and fro on the window-seat.

"I was on my knees before the open trunk, just in front of him. Suddenly I threw a sidelong glance at him. Ech, I thought, and felt very hot round the heart, and my face grew very red. Suddenly my eyes encountered Emelian's.

"'No,' he says, 'Astafi Ivanich. You perhaps think that I—you know what I mean—but I have not taken them.'

"'But where have they gone, Emelian'?' "'No,' he says, 'Astafi Ivanich, I have not seen them at all.'

"'Well, then, you think they simply went and got up by themselves, Emelian?'

“Я туда и сюда: сгинули! Ну, как перерыл я всё, вижу, что нет, - так меня по сердцу как будто скребнуло! Бросился я к старушоночке, сначала ее поклепал, согрешил, а на Емелю, хоть и улика была, что пьяным сидит человек, и домека не было!

"Нет, говорит моя старушонка, господь с тобой, кавалер, на что мне рейтузы, носить, что ли, стать? у меня у самой намедни юбка на добром человеке из вашего брата пропала... Ну, то есть, не знаю, не ведаю, говорит". - "Кто здесь был, говорю, кто приходил?" - "Да никто, говорит, кавалер, не приходил; я всё здесь была. Емельян Ильич выходил, да потом и пришел; вон сидит! Его допроси". - "Не брал ли, Емеля, говорю, по какой-нибудь надобности, рейтуз моих новых, помнишь, еще на помещика строили?" - "Нет, говорит, Астафий Иваныч, я, то есть, энтого, их не брал-с".

Что за оказия! опять искать начал, искал-искал - нет! А Емеля сидит да покачивается. Сидел я вот, сударь, так перед ним, над сундуком, на корточках, да вдруг и накосился на него глазом... Эх-ма! думаю: да так вот у меня и зажгло сердце в груди; даже в краску бросило. Вдруг и Емеля посмотрел на меня.

- Нет, говорит, Астафий Иваныч, я рейтуз-то ваших, энтого... вы. может, думаете, что, того, а я их не брал-с.

- Да куда же бы пропасть им, Емельян Ильич?

- Нет, говорит, Астафий Иваныч, не видал совсем.

- Что же, Емельян Ильич, знать, уж они, как там ни есть, взяли да сами пропали?

"'Maybe they did, Astafi Ivanich.'

"After this I would not waste another word on him. I rose from my knees, locked the trunk, and after I had lighted the lamp I sat down to work. I was remaking a vest for a government clerk, who lived on the floor below. But I was terribly rattled, just the same. It would have been much easier to bear, I thought, if all my wardrobe had burned to ashes. Emelian, it seems, felt that I was deeply angered. It is always so, sir, when a man is guilty; he always feels beforehand when trouble approaches, as a bird feels the coming storm.

"'And do you know, Astafi Ivanich,' he suddenly began, 'the leach married the coachman's widow to-day.'

"I just looked at him; but, it seems, looked at him so angrily that he understood: I saw him rise from his seat, approach the bed, and begin to rummage in H, continually repeating: 'Where could they have gonej vanished, as if the devil had taken them!'

"I waited to see what was coming; I saw that my Emelian had crawled under the bed. I could contain myself no longer.

""Look here,' I said. 'What makes you crawl under the bed?'

"'I am looking for the breeches, Astafi Ivanich,' said Emelian from under the bed. 'Maybe they got Here somehow or other.'

"'But what makes you, sir (in my anger I addressed him as if he was—somebody), what makes you trouble yourself on account of such a plain man as I am; dirtying your knees for nothing!'

"'But, Astafi Ivanich— I did not mean anything— I only thought maybe if we look for them here we may find them yet.'

- Может, что и сами пропали, Астафий Иваныч.

Я как выслушал его, как был - встал, подошел к окну, засветил светильню да и сел работу тачать. Жилетку чиновнику, что под нами жил, переделывал. А у самого так вот и горит, так и ноет в груди. То есть легче б, если б я всем гардеробом печь затопил. Вот и почуял, знать, Емеля, что меня зло схватило за сердце. Оно, сударь, коли злу человек причастен, так еще издали чует беду, словно перед грозой птица небесная.

- А вот, Астафий Иванович, - начал Емелюшка, дрожит, - сегодня Антип Прохорыч, фельдшер, на кучеровой жене, что помер намедни, женился...

Я, то есть, так поглядел на него, да уж злостно, знать, поглядел... Понял Емеля. Вижу: встает, подошел к кровати и начал около нее что-то пошаривать. Жду - долго возится, а сам всё приговаривает: "Нет как нет, куда бы им, шельмам, сгинуть!" Жду, что будет; вижу, полез Емеля под кровать на корточках. Я и не вытерпел.

- Чего вы, говорю, Емельян Ильич, на корточках-то ползаете?

- А вот нет ли рейтуз, Астафий Иваныч. Посмотреть, не завалились ли туда куда-нибудь.

- Да что вам, сударь, говорю… с досады величать его начал… что вам, сударь, за бедного, простого человека, как я, заступаться; коленки-то попусту ерзать!

- Да что ж, Астафий Иваныч, я ничего-с... Оно, может, как-нибудь и найдутся, как поискать.

"'Mm! Just listen to me a moment, Emelian!'

"'What, Astafi Ivanich?'

"'Have you not simply stolen them from me like a rascally thief, serving me so for my bread and salt?' I said to him, beside myself with wrath at the sight of him crawling under the bed for something he knew was not there.

"'No, Astafi Ivanich.'

For a long time he remained lying flat under the bed. Suddenly he crawled out and stood before me—I seem to see him even now—as terrible a sight as sin itself.

"'No,' he says to me in a trembling voice, shivering through all his body and pointing to his breast with his finger, so that all at once I became scared and could not move from my seat on the window. 'I have not taken your breeches, Astafi Ivanich.'

"'Well,' I answered, 'Emelian, forgive me if in my foolishness I have accused you wrongfully. As to the breeches, let them go hang; we will get along without them. We have our hands, thank God, we will not have to steal, and now, too, we will not have to sponge on another poor man; we will earn our living.'

"Emelian listened to me and remained standing before me for some time, then he sat down and sat motionless the whole evening; when I lay down to sleep, he was still sitting in the same place.

"In the morning, when I awoke, I found him sleeping on the bare floor, wrapped up in his cloak; he felt his humiliation so strongly that he had no heart to go and lie down on the bed.

"Well, sir, from that day on I conceived a terrible dislike for the man; that is, rather, I hated him the first few days, feeling as if, for instance, my own son had robbed me and given me deadly offense. Ech, I thought, Emelian, Emelian! And Emelian, my dear sir, had gone on a two weeks' spree.

- Гм... говорю; послушай-ка, Емельян Ильич!

- Что, говорит, Астафий Иваныч?

- Да не ты ли, говорю, их просто украл у меня, как вор и мошенник, за мою хлеб-соль услужил? - То есть вот как, сударь, меня разобрало тем, что он на коленках передо мной начал по полу ерзать.

- Нет-с... Астафий Иванович...

А сам, как был, так и остался под кроватью ничком. Долго лежал; потом выполз. Смотрю: бледный совсем человек, словно простыня. Привстал, сел подле меня на окно, этак минут с десять сидел.

- Нет, говорит, Астафий Иваныч, - да вдруг и встал и подступил ко мне, как теперь смотрю, страшный как грех.

- Нет, говорит, Астафий Иваныч, я ваших рейтуз, того, не изволил брать...

Сам весь дрожит, себя в грудь пальцем трясучим тыкает, а голосенок-то дрожит у него так, что я, сударь, сам оробел и словно прирос к окну.

- Ну, говорю, Емельян Ильич, как хотите, простите, коли я, глупый человек, вас попрекнул понапраслиной. А рейтузы пусть их, знать, пропадают; не пропадем без рейтуз. Руки есть, слава богу, воровать не пойдем... и побираться у чужого бедного человека не будем; заработаем хлеба...

Выслушал меня Емеля, постоял-постоял предо мной, смотрю - сел. Так и весь вечер просидел, не шелохнулся; уж я и ко сну отошел, всё на том же месте Емеля сидит. Наутро только, смотрю, лежит себе на голом полу, скрючившись в своей шинелишке; унизился больно, так и на кровать лечь не пришел. Ну, сударь, невзлюбил я его с этой поры, то есть на первых днях возненавидел. Точно это. примерно сказать, сын родной меня обокрал да обиду кровную мне причинил. Ах, думаю: Емеля, Емеля! А Емеля, сударь, недели с две без просыпу пьет.

Drunk to bestiality from morning till night. And during the whole two weeks he had not uttered a word. I suppose he was consumed the whole time by a deepseated grief, or else he was trying in this way to make an end to himself. At last he gave up drinking. I suppose he had no longer the wherewithal to buy vodka —had drunk up every copeck— and he once more took up his old place on the window-seat. I remember that he sat there for three whole days without a word; suddenly I see him weep; sits there and cries, but what crying! The tears come from his eyes m showers, drip, drip, as if he did not know that he was shedding them. It is very painful, sir, to see a grown man weep, all the more when the man is of advanced years, like Emelian, and cries from grief and a sorrowful heart.

"'What ails you, Emelian?' I say to him.

"He starts and shivers. This was the first time I had spoken to him since that eventful day.

"'It is nothing—Astafi Ivanich.'

"'God keep you, Emelian; never you mind it all. Let bygones be bygones. Don't take it to heart so, man!' I felt very sorry for him.

"'It is only that—that I would like to do something —some kind of work, Astafi Ivanich.'

"'But what kind of work, Emelian?'

"'Oh, any kind. Maybe I will go into some kind of service, as before. I have already been at my former employer's asking. It will not do for me, Astafi Ivanich, to use you any longer. I, Astafi Ivanich, will perhaps obtain some employment, and then I will pay you for everything, food and all.'

"'Don't, Emelian, don't. Well, let us say you committed a sin; well, it is all over! The devil take it all! Let us live as before—as if nothing had happened!"

То есть остервенился совсем, опился. С утра уйдет, придет поздней ночью, и в две недели хоть бы слово какое я от него услыхал. То есть, верно, это его самого тогда горе загрызло, или извести себя как-нибудь хотел. Наконец, баста, прекратил, знать, всё пропил и сел опять на окно. Помню, сидел, молчал трое суток; вдруг, смотрю: плачет человек. То есть сидит, сударь, и плачет, да как! то есть просто колодезь, словно не слышит сам, как слезы роняет. А тяжело, сударь, видеть, когда взрослый человек, да еще старик человек, как Емеля, с беды-грусти плакать начнет.

- Что ты, Емеля? - говорю.

И всего его затрясло. Так и вздрогнул. Я, то есть, первый раз с того времени к нему речь обратил.

- Ничего... Астафий Иваныч.

- Господь с тобой, Емеля, пусть его всё пропадает. Чего ты такой совой сидишь? - Жалко мне стало его.

- Так-с, Астафий Иваныч, я не того-с. Работу какую-нибудь хочу взять, Астафий Иваныч.

- Какую же бы такую работу, Емельян Ильич?

- Так, какую-нибудь-с. Может, должность какую найду-с, как и прежде; я уж ходил просить к Федосею Иванычу... Нехорошо мне вас обижать-с, Астафий Иваныч. Я, Астафий Иваныч, как, может быть, должность-то найду, так вам всё отдам и за все харчи ваши вам вознаграждение представлю.

- Полно, Емеля, полно; ну, был грех такой, ну - и прошел! Прах его побери! Давай жить по-старому.

"'You, Astafi Ivanich, you are probably hinting about *that.* But I have not taken your breeches.'

"'Well, just as you please, Emelian!'

"'No, Astafi Ivanich, evidently I can not live with you longer. You will excuse me, Astafi Ivanich.'

"'But God be with you, Emelian,' I said to him; 'who is it that is offending you or driving you out of the house? Is it I who am doing it?'

"'No, but it is unseemly for me to misuse your hospitality any longer, Astafi Ivanich; 'twill be better to go.'

"I saw that he had in truth risen from his place and donned his ragged cloak—he felt offended, the man did, and had gotten it into his head to leave, and— basta.

"'But where are you going, Emelian? Listen to sense: what are you? Where will you go?'

"'No, it is best so, Astafi Ivanich, do not try to keep me back,' and he once more broke into tears; 'let me be, Astafi Ivanich, you are no longer what you used to be.'

"'Why am I not? I am just the same. But you will perish when left alone—like a foolish little child, Emelian.'

"'No, Astafi Ivanich. Lately, before you leave the house, you have taken to locking your trunk, and I, Astafi Ivanich, see it and weep— No, it is better you should let me go, Astafi Ivanich, and forgive me if I have offended you in any way during the time we have lived together.'

"Well, sir! And so he did go away. I waited a day and thought: Oh, he will be back toward evening. But a day passes, then another, and he does not return. On the third—he does not return. I grew frightened, and a terrible sadness gripped at my heart. I stopped eating and drinking, and lay whole nights without closing my eyes. The man had wholly disarmed me!

- Нет-с, Астафий Иваныч, вы, может быть, всё, того... а я ваших рейтуз не изволил брать...

- Ну, как хочешь; господь с тобой, Емельянушка!

- Нет-с, Астафий Иваныч. Я, видно, больше у вас не жилец. Уж вы меня извините, Астафий Иваныч.

- Да господь с тобой, говорю: кто тебя, Емельян Ильич, обижает, с двора гонит, я, что ли?

- Нет-с, неприлично мне так жить у вас, Астафий Иваныч... Я лучше уж пойду-с...

То есть разобиделся, наладил одно человек. Смотрю я на него, и вправду встал, тащит на плеча шинелишку.

- Да куда ж ты, этово, Емельян Ильич? послушай ума-разума: что ты? куда ты пойдешь?

- Нет, уж вы прощайте, Астафий Иваныч, уж не держите меня …хнычет…; я уж пойду от греха, Астафий Иванович. Вы уж не такие стали теперь.

- Да какой не такой? такой! Да ты как дитя малое, неразумное, пропадешь один, Емельян Ильич.

- Нет, Астафий Иваныч, вы вот, как уходите, сундук теперь запираете, а я, Астафий Иваныч, вижу и плачу... Нет, уж вы лучше пустите меня, Астафий Иваныч, и простите мне всё, чем я в нашем сожительстве вам обиду нанес.

Что ж, сударь? и ушел человек. День жду, вот, думаю, воротится к вечеру - нет! Другой день нет, третий - нет. Испугался я, тоска меня ворочает; не пью, не ем, не сплю. Обезоружил меня совсем человек!

On the fourth day I went to look for him; I looked in all the taverns and pot-houses in the vicinity, and asked if any one had seen him. No, Emelian had wholly disappeared! Maybe he has done away with his miserable existence, I thought.

Maybe, when in his cups, he has perished like a dog, somewhere under a fence. I came home half dead with fatigue and despair, and decided to go out the next day again to look for him, cursing myself bitterly for letting the foolish, helpless man go away from me. But at dawn of the fifth day (it was a holiday) I heard the door creak. And whom should I see but EmeHan! But in what a state! His face was bluish and his hair was full of mud, as if he had slept in the street; and he had grown thin, the poor fellow had, as thin as a rail. He took off his poor cloak, sat down on my trunk, and began to look at me. Well, sir, I was overjoyed, but at the same time felt a greater sadness than ever pulling at my heart-strings. This is how it was, sir: I felt that if a thing like that had happened to me, that is—I would sooner have perished like a dog, but would not have returned. And Emelian did. Well, naturally, it is hard to see a man in such a state. I began to coddle and to comfort him in every way.

"'Well,' I said, 'Emelian, I am very glad you have returned; if you had not come so soon, you would not have found me in, as I intended to go hunting for you. Have you had anything to eat?'

"'I have eaten, Astafi Ivanich.'

"I doubt it. Well, here is some cabbage soup— left over from yesterday; a nice soup with some meat in it—not the meagre kind. And here you have some bread and a little onion. Go ahead and eat; it will do you good.'

Пошел я на четвертый день ходить, во все кабачки заглядывал, спрашивал - нет, пропал Емельянушка! "Уж сносил ли ты свою голову победную? - думаю.

- Может, издох где у забора пьяненький и теперь, как бревно гнилое, лежишь". Ни жив ни мертв я домой воротился. На другой день тоже идти искать положил. И сам себя проклинаю, зачем я тому попустил, чтоб глупый человек на свою волю ушел от меня. Только смотрю: чем свет, на пятый день праздник был, скрипит дверь. Вижу: входит Емеля: синий такой и волосы все в грязи, словно спал на улице, исхудал весь, как лучина; снял шинелишку, сел ко мне на сундук, глядит на меня. Обрадовался я, да пуще прежнего тоска к моей душе припаялась. Оно вот как, сударь, выходит: случись, то есть, надо мной такой грех человеческий, так я, право слово, говорю: скорей, как собака, издох бы, а не пришел. А Емеля пришел! Ну, натурально, тяжело человека в таком положении видеть. Начал я его лелеять, ласкать, утешать.

"Ну, говорю, Емельянушка, рад, что ты воротился. Опоздал бы маленько прийти, я б и сегодня пошел по кабачкам тебя промышлять. Кушал ли ты?"

- Кушал-с, Астафий Иваныч.

- Полно, кушал ли? Вот, братец, щец вчерашних маленько осталось; на говядине были, не пустые; а вот и лучку с хлебом. Покушай, говорю: оно на здоровье не лишнее.

"I served it to him; and immediately realized that he must have been starving for the last three days— such an appetite as he showed! So it was hunger that had driven him back to me. Looking at the poor fellow, I was deeply touched, and decided to run into the nearby dram-shop. I will get him some vodka, I thought, to liven him up a bit and make peace with him. It is enough. I have nothing against the poor devil any longer. And so I brought the vodka and said to him: 'Here, Emelian, let us drink to each other's health in honor of the holiday. Come, take a drink. It will do you good.'

"He stretched out his hand, greedily stretched it out, you know, and stopped; then, after a while, he lifted the glass, carried it to his mouth, spilling the liquor on his sleeve; at last he did carry it to his mouth, but immediately put it back on the table.

"'Well, why don't you drink, Emelian?'

"'But no, I'll not, Astafi Ivanich.'

"'You'll not drink it!'

"'But I, Astafi Ivanich, I think—I'll not drink any more, Astafi Ivanich.'

"'Is it for good you have decided to give it up, Emelian, or only for to-day?'

"He did not reply, and after a while I saw him lean his head on his hand, and I asked him: 'Are you not feeling well, Emelian?'

"'Yes, pretty well, Astafi Ivanich.'

"I made him go to bed, and saw that he was truly in a bad way. His head was burning hot and he was shivering with ague. I sat by him the whole day; toward evening he grew worse. I prepared a meal for him of kvass, butter, and some onion, and threw in it a few bits of bread, and said to him: "Go ahead and take some food; maybe you will feel better!'

Подал я ему; ну, тут и увидал, что, может, три дня целых не ел человек, - такой аппетит оказался. Это, значит, его голод ко мне пригнал. Разголубился я, на него глядя, сердечного. Сем-ка, я думаю, в штофную сбегаю. Принесу ему отвести душу, да и покончим, полно! Нет у меня больше на тебя злобы, Емельянушка! Принес винца. Вот, говорю, Емельян Ильич, выпьем для праздника. Хочешь выпить? оно здорово.

Протянул было он руку, этак жадно протянул, уж взял было, да и остановился; подождал маленько; смотрю: взял, несет ко рту, плескает у него винцо на рукав. Нет, донес ко рту, да тотчас и поставил на стол.

- Что ж, Емельянушка?

- Да нет; я, того... Астафий Иваныч.

- Не выпьешь, что ли?

- Да я, Астафий Иваныч, так уж... не буду больше пить, Астафий Иваныч.

- Что ж, ты совсем перестать собрался, Емелюшка, или только сегодня не будешь?

Промолчал. Смотрю: через минуту положил на руку голову.

- Что ты, уж не заболел ли, Емеля?

- Да так, нездоровится, Астафий Иваныч.

Взял я его и положил на постель. Смотрю, и вправду худо: голова горит, а самого трясет лихорадкой. Посидел я день над ним; к ночи хуже. Я ему квасу с маслом и с луком смешал, хлебца подсыпал. Ну, говорю: тюри покушай, авось будет лучше!

"But he only shook his head: 'No, Astafi Ivanich, I shall not have any dinner to-day.' I had some tea prepared for him, giving a lot of trouble to the poor old woman from whom I rented a part of the room—but he would not take even a little tea.

"Well, I thought to myself, it is a bad case. On the third morning I went to see the doctor, an acquaintance of mine, Dr. Kostopravov, who had treated me when I still lived in my last place. The doctor came, examined the poor fellow, and only said: 'There was no need of sending for me, he is already too far gone, but you can give him some powders which I will prescribe.'

"Well, I didn't give him the powders at all, as I understood that the doctor was only doing it for form's sake; and in the mean while came the fifth day.

"He lay dying before me, sir. I sat on the windowseat with some work I had on hand lying on my lap. The old woman was raking the stove. We were all silent, and my heart was breaking over this poor, shiftless creature, as if he were my own son whom I was losing. I knew that Emelian was gazing at me all the time; I noticed from the earliest morning that he longed to tell me something, but seemingly dared not. At last I looked at him, and saw that he did not take his eyes from me, but that whenever his eyes met mine, he immediately lowered his own.

"'Astafi Ivanich!'

"'What, Emelian?'

"'What if my cloak should be carried over to the old clothes market, would they give much for it, Astafi Ivanich?'

"'Well, I said, 'I do not know for certain, but three rubles they would probably give for it, Emelian.' I said it only to comfort the simple-minded creature; in reality they would have laughed in my face for even thinking to sell such a miserable, ragged thing.

Мотает головой. "Нет, говорит, я уж сегодня обедать не буду, Астафий Иваныч". Чаю ему приготовил, старушоночку замотал совсем, - нет ничего лучше.

Ну, думаю, плохо! Пошел я на третье утро к врачу. У меня тут медик Костоправов знакомый жил. Еще прежде, когда я у Босомягиных господ находился, познакомились; лечил он меня. Пришел медик, посмотрел. "Да нет, говорит, оно плохо. Нечего было, говорит, и посылать за мной. А пожалуй, дать ему порошков".

Ну, порошков-то я не дал; так, думаю, балуется медик; а между тем наступил пятый день.

Лежал он, сударь, передо мной, кончался. Я сидел на окне, работу в руках держал. Старушоночка печку топила. Все молчим. У меня, сударь, сердце по нем, забулдыге, разрывается: точно это я сына родного хороню. Знаю, что Емеля теперь на меня смотрит, еще с утра видел, что крепится человек, сказать что-то хочет, да, как видно, не смеет. Наконец взглянул на него; вижу: тоска такая в глазах у бедняги, с меня глаз не сводит; а увидал, что я гляжу на него, тотчас потупился.

- Астафий Иваныч!

- Что, Емелюшка?

- А вот если б, примером, мою шинеленочку в Толкучий снесть, так много ль за нее дали бы, Астафий Иваныч?

- Ну, говорю, неведомо, много ли дали бы. Может, и трехрублевый бы дали, Емельян Ильич.

А поди-ка понеси в самом деле, так и ничего бы не дали, кроме того что насмеялись бы тебе в глаза, что такую злосчастную вещь продаешь. Так только ему, человеку божию, зная норов его простоватый, в утеху сказал.

"'And I thought that they might give a little more, Astafi Ivanich. It is made of cloth, so how is it that they would not wish to pay more than three rubles for it?'

"'Well, Emelian, if you wish to sell it, then of course you may ask more for it at first.'

"Emelian was silent for a moment, then he once more called to me.

"'Astafi Ivanich!'

"'What is it, Emelian?'

"'You will sell the cloak after I am no more; no need of burying me in it, I can well get along without it; it is worth something, and may come handy to you.'

"Here I felt such a painful gripping at my heart as I can not even express, sir. I saw that the sadness of approaching death had already come upon the man. Again we were silent for some time. About an hour passed in this way. I looked at him again and saw that he was still gazing at me, and when his eyes met mine he immediately lowered his.

"'Would you like a drink of cold water?' I asked him.

"'Give me some, and may God repay you, Astafi

Ivanich.'

"'Would you like anything else, Emelian ? "'No, Astafi Ivanich, I do not want anything, but I—'

"'What?'

"'You know that—

"'What is it you want, Emelian?'

"'The breeches— You know— It was I who took them— Astafi Ivanicli—'

- А я-то думал, Астафий Иваныч, что три рубля серебром за нее положили бы; она вещь суконная, Астафий Иваныч. Как же трехрублевый, коли суконная вещь?

- Не знаю, говорю, Емельян Ильич; коль нести хочешь, так, конечно, три рубля нужно будет с первого слова просить.

Помолчал немного Емеля; потом опять окликает:

- Астафий Иваныч!

- Что, спрашиваю, Емельянушка?

- Вы продайте шинеленочку-то, как я помру, а меня в ней не хороните. Я и так полежу; а она вещь ценная; вам пригодиться может.

Тут у меня так, сударь, защемило сердце, что и сказать нельзя. Вижу, что тоска предсмертная к человеку подступает. Опять замолчали. Этак час прошло времени. Посмотрел я на него сызнова: всё на меня смотрит, а как встретился взглядом со мной, опять потупился.

- Не хотите ли, говорю, водицы испить, Емельян Ильич?

- Дайте, господь с вами, Астафий Иваныч. Подал я ему испить. Отпил.

- Благодарствую, говорит, Астафий Иваныч.

- Не надо ль еще чего, Емельянушка?

- Нет, Астафий Иваныч; ничего не надо; а я, того...

- Что?

- Энтого...

- Чего такого, Емелюшка?

- Рейтузы-то... энтого... это я их взял у вас тогда... Астафий Иваныч...

"And I had to turn away my head for a moment because grief for the poor devil took my breath away and the tears came in torrents from my eyes.

"'Astafi Ivanich!—'

"I looked at him, saw that he wished to tell me something more, tried to raise himself, and was moving his lips— He reddened and looked at nae— Suddenly I saw that he began to grow paler and paler; in a moment he fell with his head thrown back, breathed once, and gave his soul into God's keeping."

- Ну, господь, говорю, тебя простит, Емельянушка, горемыка ты такой, сякой, этакой! отходи с миром... А у самого, сударь, дух захватило и слезы из глаз посыпались; отвернулся было я на минуту.

- Астафий Иваныч...

Смотрю: хочет Емеля мне что-то сказать; сам приподнимается, силится, губами шевелит... Весь вдруг покраснел, смотрит на меня... Вдруг вижу: опять бледнеет, бледнеет, опал совсем во мгновенье; голову назад закинул, дохнул раз да тут и богу душу отдал.

The Witch

Anton Chekhov

IT was approaching nightfall. The sexton, Savely Gykin, was lying in his huge bed in the hut adjoining the church. He was not asleep, though it was his habit to go to sleep at the same time as the hens. His coarse red hair peeped from under one end of the greasy patchwork quilt, made up of coloured rags, while his big unwashed feet stuck out from the other. He was listening. His hut adjoined the wall that encircled the church and the solitary window in it looked out upon the open country. And out there a regular battle was going on. It was hard to say who was being wiped off the face of the earth, and for the sake of whose destruction nature was being churned up into such a ferment; but, judging from the unceasing malignant roar, someone was getting it very hot. A victorious force was in full chase over the fields, storming in the forest and on the church roof, battering spitefully with its fists upon the windows, raging and tearing, while something vanquished was howling and wailing. ... A plaintive lament sobbed at the window, on the roof, or in the stove. It sounded not like a call for help, but like a cry of misery, a consciousness that it was too late, that there was no salvation. The snowdrifts were covered with a thin coating of ice; tears quivered on them and on the trees; a dark slush of mud and melting snow flowed along the roads and paths. In short, it was thawing, but through the dark night the heavens failed to see it, and flung flakes of fresh snow upon the melting earth at a terrific rate. And the wind staggered like a drunkard. It would not let the snow settle on the ground, and whirled it round in the darkness at random.

Savely listened to all this din and frowned. The fact was that he knew, or at any rate suspected, what all this racket outside the window was tending to and whose handiwork it was. .

Ведьма

Антон Чехов

Время шло к ночи. Дьячок Савелий Гыкин лежал у себя в церковной сторожке на громадной постели и не спал, хотя всегда имел обыкновение засыпать в одно время с курами. Из одного края засаленного, сшитого из разноцветных ситцевых лоскутьев одеяла глядели его рыжие, жесткие волосы, из-под другого торчали большие, давно не мытые ноги. Он слушал... Его сторожка врезывалась в ограду, и единственное окно ее выходило в поле. А в поле была сущая война. Трудно было понять, кто кого сживал со света и ради чьей погибели заварилась в природе каша, по, судя по неумолкаемому, зловещему гулу, кому-то приходилось очень круто. Какая-то победительная сила гонялась за кем-то по полю, бушевала в лесу и на церковной крыше, злобно стучала кулаками по окну, метала и рвала, а что-то побежденное выло и плакало... Жалобный плач слышался то за окном, то над крышей, то в печке. В нем звучал не призыв на помощь, а тоска, сознание, что уже поздно, нет спасения. Снежные сугробы подернулись тонкой льдяной корой; на них и на деревьях дрожали слезы, по дорогам и тропинкам разливалась темная жижица из грязи и таявшего снега. Одним словом, на земле была оттепель, но небо, сквозь темную ночь, не видело этого и что есть силы сыпало на таявшую землю хлопья нового снега. А ветер гулял, как пьяный... Он не давал этому снегу ложиться на землю и кружил его в потемках как хотел.

Гыкин прислушивался к этой музыке и хмурился. Дело в том, что он знал, или, по крайней мере, догадывался, к чему клонилась вся эта возня за окном и чьих рук было это дело.

"I know!" he muttered, shaking his finger men-| acingly under the bedclothes; " I know all about it.".

On a stool by the window sat the sexton's wife, Rai'ssa Nilovna. A tin lamp standing on another stool, as though timid and distrustful of its powers, shed a dim and flickering light on her broad shoulders, on the handsome, tempting-looking contours of her person, and on her thick plait, which reached to the floor. She was making sacks out of coarse hempen stuff. Her hands moved nimbly, while her whole body, her eyes, her eyebrows, her full lips, her white neck were as still as though they were asleep, absorbed in the monotonous, mechanical toil. Only from time to time she raised her head to rest her weary neck, glanced for a moment towards the window, beyond which the snowstorm was raging, and bent again over her sacking. No desire, no joy, no grief, nothing was expressed by her handsome face with its turned-up nose and its dimples. So abeautiful fountain expresses nothing when it is not playing.

But at last she had finished a sack. She flung it aside, and, stretching luxuriously, rested her motionless, lack-lustre eyes on the window. The panes were swimming with drops like tears, and white with short-lived snowflakes which fell on the window, glanced at Raissa, and melted. . .

"Come to bed!" growled the sexton. Raissa remained mute. But suddenly her eyelashes flickered and there was a gleam of attention in her eye. Savely, all the time watching her expression from under the quilt, put out his head and asked:

"What is it?"

"Nothing. ... I fancy someone's coming," she answered quietly.

The sexton flung the quilt off with his arms and legs, knelt up in bed, and looked blankly at his wife. The timid light of the lamp illuminated his hirsute, pock-marked countenance and glided over his rough matted hair.

- Я зна-аю! - бормотал он, грозя кому-то под одеялом пальцем. - Я всё знаю!

У окна, на табурете сидела дьячиха Раиса Ниловна. Жестяная лампочка, стоявшая на другом табурете, словно робея и не веря в свои силы, лила жиденький, мелькающий свет на ее широкие плечи, красивые, аппетитные рельефы тела, на толстую косу, которая касалась земли. Дьячиха шила из грубого рядна мешки. Руки ее быстро двигались, всё же тело, выражение глаз, брови, жирные губы, белая шея замерли, погруженные в однообразную, механическую работу и, казалось, спали. Изредка только она поднимала голову, чтобы дать отдохнуть своей утомившейся шее, взглядывала мельком на окно, за которым бушевала метель, и опять сгибалась над рядном. Ни желаний, ни грусти, ни радости - ничего не выражало ее красивое лицо с вздернутым носом и ямками на щеках. Так ничего не выражает красивый фонтан, когда он не бьет.

Но вот она кончила один мешок, бросила его в сторону и, сладко потянувшись, остановила свой тусклый, неподвижный взгляд на окне... На стеклах плавали слезы и белели недолговечные снежинки. Снежинка упадет на стекло, взглянет на дьячиху и растает...

- Поди ложись! - проворчал дьячок.

Дьячиха молчала. Но вдруг ресницы ее шевельнулись и в глазах блеснуло внимание. Савелий, всё время наблюдавший из-под одеяла выражение ее лица, высунул голову и спросил:

- Что?

- Ничего... Кажись, кто-то едет... - тихо ответила дьячиха.

Дьячок сбросил с себя руками и ногами одеяло, стал в постели на колени и тупо поглядел на жену. Робкий свет лампочки осветил его волосатое, рябое лицо и скользнул по всклоченной, жесткой голове.

"Do you hear? " asked his wife.

Through the monotonous roar of the storm he caught a scarcely audible thin and jingling monotone like the shrill note of a gnat when it wants to settle on one's cheek and is angry at being prevented.

"It's the post," muttered Savely, squatting on his heels.

Two miles from the church ran the posting road. In windy weather, when the wind was blowing from the road to the church, the inmates of the hut caught the sound of bells.

"Lord! fancy people wanting to drive about in such weather," sighed Rai'ssa.

1" It's government work. You've to go whether you like or not." The murmur hung in the air and died away. "It has driven by," said Savely, getting into bed. . But before he had time to cover himself up with 1 the bedclothes he heard a distinct sound of the bell. The sexton looked anxiously at his wife, leapt out of bed and walked, waddling, to and fro by the stove. The bell went on ringing for a little, then died away again as though it had ceased.

"I don't hear it," said the sexton, stopping and looking at his wife with his eyes screwed up.

But at that moment the wind rapped on the window and with it floated a shrill jingling note. Savely turned pale, cleared his throat, and flopped about the floor with his bare feet again. \ "The postman is lost in the storm," he wheezed 1 out glancing malignantly at his wife. "Do you hear? The postman has lost his way 1 . . . I . . . I know! Do you suppose I . . . don't understand?" he muttered. "I know all about it, curse you!"

"What do you know?" Rai'ssa asked quietly, keeping her eyes fixed on the window.

I" I know that it's all your doing, you she-devil 1 Your doing, damn youl This snowstorm and the post going wrong, you've done it all — you!"

- Слышишь? - спросила жена.

Сквозь однообразный вой метели расслышал он едва уловимый слухом, тонкий, звенящий стон, похожий на зуденье комара, когда он хочет сесть на щеку и сердится, что ему мешают.

- Это почта... - проворчал Савелий, садясь на пятки.

В трех верстах от церкви лежал почтовый тракт. Во время ветра, когда дуло с большой дороги на церковь, обитателям сторожки слышались звонки.

- Господи, приходит же охота ездить в такую погоду! - вздохнула дьячиха.

- Дело казенное. Хочешь - не хочешь, поезжай...

Стон подержался в воздухе и замер.

- Проехала! - сказал Савелий, ложась.

Но не успел он укрыться одеялом, как до его слуха донесся явственный звук колокольчика. Дьячок тревожно взглянул на жену, спрыгнул с постели и, переваливаясь с боку на бок, заходил вдоль печки. Колокольчик прозвучал немного и опять замер, словно оборвался.

- Не слыхать... - пробормотал дьячок, останавливаясь и щуря на жену глаза.

Но в это самое время ветер стукнул по окну и донес тонкий, звенящий стон... Савелий побледнел, крякнул и опять зашлепал по полу босыми ногами.

- Почту кружит! - прохрипел он, злобно косясь на жену. - Слышишь ты? Почту кружит!.. Я... я знаю! Нешто я не... не понимаю! - забормотал он. - Я всё знаю, чтоб ты пропала!

- Что ты знаешь? - тихо спросила дьячиха, не отрывая глаз от окна.

- А то знаю, что всё это твои дела, чертиха! Твои дела, чтоб ты пропала! И метель эта, и почту кружит... всё это ты наделала! Ты!

"You're mad, you silly," his wife answered calmly.

"I've been watching you for a long time past and I've seen it. From the first day I married you I | noticed that you'd bitch's blood in you!"'

"Tfoo!" said Rai'ssa, surprised, shrugging her shoulders and crossing herself. "Cross yourself, you fool!"

"A witch is a witch," Savely pronounced in a hollow, tearful voice, hurriedly blowing his nose on the hem of his shirt; " though you are my wife, though you are of a clerical family, I'd say what you are even at confession. . . . Why, God have mercy upon us! Last year on the Eve of the Prophet Daniel and the Three Young Men there was a snow-i storm, and what happened then? The mechanic 1 came in to warm himself. Then on St. Alexey's Day the ice broke on the river and the district policeman turned up, and he was chatting with you all night . . . the damned brute! And when he came' out in the morning and I looked at him, he had rings j under his eyes and his cheeks were hollow! Eh? I During the August fast there were two storms and each time the huntsman turned up. I saw it all, damn him! Oh, she is redder than a crab now, •

"You didn't see anything."

"Didn't I! And this winter before Christmas on the Day of the Ten Martyrs of Crete, when the storm lasted for a whole day and night — do you remember ? — the marshal's clerk was lost, and turned up here, the hound. . . . Tfoo! To be tempted by the clerk! It was worth upsetting God's weather for him! A drivelling scribbler, not a foot from the ground, pimples all over his mug and his neck awry! If he were good-looking, anyway — but he, tfoo! he is as ugly as Satan!"

The sexton took breath, wiped his lips and listened. The bell was not to be heard, but the wind banged on the roof, and again there came a tinkle in the darkness.

- Бесишься, глупый... - покойно заметила дьячиха.

- Я за тобой давно уж это замечаю! Как поженился, в первый же день приметил, что в тебе сучья кровь!

- Тьфу! - удивилась Раиса, пожимая плечами и крестясь. - Да ты перекрестись, дурень!

- Ведьма и есть ведьма, - продолжал Савелий глухим, плачущим голосом, торопливо сморкаясь в подол рубахи. - Хоть ты и жена мне, хоть и духовного звания, но я о тебе и на духу так скажу, какая ты есть... Да как же? Заступи, господи, и помилуй! В прошлом годе под пророка Даниила и трех отроков была метель и - что же? мастер греться заехал. Потом на Алексея, божьего человека, реку взломало, и урядника принесло... Всю ночь тут с тобой, проклятый, калякал, а как наутро вышел, да как взглянул я на него, так у него под глазами круги и все щеки втянуло! А? В Спасовку два раза гроза была, и в оба разы охотник ночевать приходил. Я всё видел, чтоб ему пропасть! Всё! О, красней рака стала! Ага!

- Ничего ты не видел...

- Ну да! А этой зимой перед Рождеством на десять мучеников в Крите, когда метель день и ночь стояла... помнишь? - писарь предводителя сбился с дороги и сюда, собака, попал... И на что польстилась! Тьфу, на писаря! Стоило из-за него божью погоду мутить! Чертяка, сморкун, из земли не видно, вся морда в угрях и шея кривая... Добро бы, красивый был, а то - тьфу! - сатана!

Дьячок перевел дух, утер губы и прислушался. Колокольчика не было слышно, но рванул над крышей ветер и в потемках за окном опять зазвякало.

"And it's the same thing now! " Savely went on. "It's not for nothing the postman is lost! Blast my eyes if the postman isn't looking for you! Oh, the devil is a good hand at his work; he is a fine one to help! He will turn him round and round and bring him here. I know, I see! You can't conceal it, you devil's bauble, you heathen wanton! As soon as the storm began I knew what you were up to."

"Here's a fool!" smiled his wife. "Why, do you suppose, you thick-head, that I make the storm?"

"H'm! . . . Grin away! Whether it's your doing or not, I only know that when your blood's on fire there's sure to be bad weather, and when there's bad weather there's bound to be some crazy fellow turning up here. It happens so every time! So it must be you!"

To be more impressive the sexton put his finger to his forehead, closed his left eye, and said in a singsong voice:

"Oh, the madness! oh, the unclean Judas! If you really are a human being and not a witch, you ought to think what if he is not the mechanic, or the clerk, or the huntsman, but the devil in their form! Ah! You'd better think of that!"

"Why, you are stupid, Savely," said his wife, looking at him compassionately. "When father was alive and living here, all sorts of people used to come to him to be cured of the ague: from the village, and the hamlets, and the Armenian settlement. They came almost every day, and no one called them devils. But if anyone once a year comes in bad weather to warm himself, you wonder at it, you silly, and take all sorts of notions into your head at once."

His wife's logic touched Savely. He stood with his bare feet wide apart, bent his head, and pondered. He was not firmly convinced yet of the truth of his suspicions, and his wife's genuine and unconcerned tone quite disconcerted him. Yet after a moment's thought he wagged his head and said:

- И теперь тоже! - продолжал Савелий. - Недаром это почту кружит! Наплюй мне в глаза, ежели почта не тебя ищет! О, бес знает свое дело, хороший помощник! Покружит, покружит и сюда доведет. Зна-аю! Ви-ижу! Не скроешь, бесова балаболка, похоть идольская! Как метель началась, я сразу понял твои мысли.

- Вот дурень! - усмехнулась дьячиха. - Что ж, по твоему, по дурацкому уму, я ненастье делаю?

- Гм... Усмехайся! Ты или не ты, а только я замечаю: как в тебе кровь начинает играть, так и непогода, а как только непогода, так и несет сюда какого ни на есть безумца. Каждый раз так приходится! Стало быть, ты!

Дьячок для большей убедительности приложил палец ко лбу, закрыл левый глаз и проговорил певучим голосом:

- О, безумие! О, иудино окаянство! Коли ты в самом деле человек есть, а не ведьма, то подумала бы в голове своей: а что, если то были не мастер, не охотник, не писарь, а бес в их образе! А? Ты бы подумала!

- Да и глупый же ты, Савелий! - вздохнула дьячиха, с жалостью глядя на мужа. - Когда папенька живы были и тут жили, то много разного народа ходило к ним от трясучки лечиться: и из деревни, и из выселков, и из армянских хуторов. Почитай, каждый день ходили, и никто их бесами не обзывал. А к нам ежели кто раз в год в ненастье заедет погреться, так уж тебе, глупому, и диво, сейчас у тебя и мысли разные.

Логика жены тронула Савелия. Он расставил босые ноги, нагнул голову и задумался. Он не был зще крепко убежден в своих догадках, а искренний, равнодушный тон дьячихи совсем сбил его с толку, но, тем не менее, подумав немного, он мотнул головой и сказал:

"It's not as though they were old men or bandylegged cripples; it's always young men who want to come for the night. . . . Why is that? And if they only wanted to warm themselves But they are up to mischief. No, woman; there's no creature in this world as cunning as your female sort! Of real brains you've not an ounce, less than a starling, but for devilish slyness — oo-oo-oo! The Queen of Heaven protect us! There is the postman's bell! When the storm was only beginning I knew all that was in your mind. That's your witchery, you spider!"

"Why do you keep on at me, you heathen?" His wife lost her patience at last. "Why do you keep sticking to it like pitch?"

"I stick to it because if anything — God forbid — happens to-night . . . do you hear? . . . if anything happens to-night, I'll go straight off to-morrow morning to Father Nikodim and tell him all about it. 'Father Nikodim,' I shall say, 'graciously excuse me, but she is a witch.' 'Why so?' 'H'm! do you want to know why?' 'Certainly. . . .' And I shall tell him. And woe to you, woman! Not only at the dread Seat of Judgment, but in your earthly life you'll be punished, too! It's not for nothing there are prayers in the breviary against your kind!"

Suddenly there was a knock at the window, so loud and unusual that Savely turned pale and almost dropped backwards with fright. His wife jumped up, and she, too, turned pale.

"For God's sake, let us come in and get warm!" they heard in a trembling deep bass. "Who lives here? For mercy's sake! We've lost our way."

"Who are you?" asked Raissa, afraid to look at the window.

"The post," answered a second voice.

"You've succeeded with your devil's tricks," said Savely with a wave of his hand. "No mistake; I am right! Well, you'd better look out!"

- Не то чтобы старики или косолапые какие, а всё молодые ночевать просятся. Почему такое? И пущай бы только грелись, а то ведь чёрта тешат. Нет, баба, хитрей вашего бабьего, рода на этом свете и твари нет! Настоящего ума в вас - ни боже мой, меньше, чем у скворца, зато хитрости бесовской - у-у-у! - спаси, царица небесная! Вон, звонит почта! Метель еще только начиналась, а уж я все твои мысли знал! Наведьмачила, паучиха!

- Да что ты пристал ко мне, окаянный? - вышла из терпения дьячиха. - Что ты пристал ко мне, смола?

- А то пристал, что ежели нынче ночью, не дай бог, случится что... ты слушай!., ежели случится что, то завтра же чуть свет пойду в Дядьково к отцу Никодиму и всё объясню. Так и так, скажу, отец Никодим, извините великодушно, но она ведьма. Почему? Гм... желаете знать почему? Извольте... Так и так. И горе тебе, баба! Не токмо на страшном судилище, но и в земной жизни наказана будешь! Недаром насчет вашего брата в требнике молитвы написаны!

Вдруг в окне раздался стук, такой громкий и необычайный, что Савелий побледнел и присел от испуга. Дьячиха вскочила и тоже побледнела.

- Ради бога, пустите погреться! - послышался дрожащий густой бас. - Кто тут есть? Сделайте милость! С дороги сбились!

- А кто вы? - спросила дьячиха, боясь взглянуть на окно.

- Почта! - ответил другой голос.

- Недаром дьяволила! - махнул рукой Савелий. - Так и есть! Моя правда... Ну, гляди же ты мне!

The sexton jumped on to the bed in two skips, stretched himself on the feather mattress, and sniffing angrily, turned with his face to the wall. Soon he felt a draught of cold air on his back. The door creaked and the tall figure of a man, plastered over with snow from head to foot, appeared in the doorway. Behind him could be seen a second figure as white.

"Am I to bring in the bags?" asked the second in a hoarse bass voice.

"You can't leave them there." Saying this, the first figure began untying his hood, but gave it up, and pulling it off impatiently with his cap, angrily flung it near the stove. Then taking off his greatcoat, he threw that down beside it, and, without saying good-evening, began pacing up and down the hut.

He was a fair-haired, young postman wearing a shabby uniform and black rusty-looking high boots. After warming himself by walking to and fro, he sat down at the table, stretched out his muddy feet towards the sacks and leaned his chin on his fist. His pale face, reddened in places by the cold, still bore vivid traces of the pain and terror he had just been through. Though distorted by anger and bearing traces of recent suffering, physical and moral, it was handsome in spite of the melting snow on the eyebrows, moustaches, and short beard.

"It's a dog's life!" muttered the postman, looking round the walls and seeming hardly able to believe that he was in the warmth. "We were nearly lost! If it had not been for your light, I don't know what would have happened. Goodness only knows when it will all be over! There's no end to this dog's life! Where have we come?" he asked, dropping his voice and raising his eyes to the sexton's wife.

Дьячок подпрыгнул два раза перед постелью, повалился на перину и, сердито сопя, повернулся лицом к стене. Скоро в его спину пахнуло холодом. Дверь скрипнула, и на пороге показалась высокая человеческая фигура, с головы до ног облепленная снегом. За нею мелькнула другая, такая же белая...

- И тюки вносить? - спросила вторая хриплым басом.

- Не там же их оставлять!

Сказавши это, первый начал развязывать себе башлык и, не дожидаясь, когда он развяжется, сорвал его с головы вместе с фуражкой и со злобой швырнул к печке. Затем, стащив с себя пальто, он бросил его туда же и, не здороваясь, зашагал по сторожке.

Это был молодой белокурый почтальон в истасканном форменном сюртучишке и в рыжих грязных сапогах. Согревши себя ходьбой, он сел за стол, протянул грязные ноги к мешкам и подпер кулаком голову. Его бледное, с красными пятнами лицо носило еще следы только что пережитых боли и страха. Искривленное злобой, со свежими следами недавних физических и нравственных страданий, с тающим снегом на бровях, усах и круглой бородке, оно было красиво.

- Собачья жизнь! - проворчал почтальон, водя глазами по стенам и словно не веря, что он в тепле. - Чуть не пропали! Коли б не ваш огонь, так не знаю, что бы и было... И чума его знает, когда всё это кончится! Конца краю нет этой собачьей жизни! Куда мы заехали? - спросил он, понизив голос и вскидывая глазами на дьячиху.

"To the Gulyaevsky Hill on General Kalinovsky's estate," she answered, startled and blushing. "Do you hear, Stepan?" The postman turned to the driver, who was wedged in the doorway with a huge mail-bag on his shoulders. "We've got to Gulyaevsky Hill."

"Yes . . . we're a long way out." Jerking out these words like a hoarse sigh, the driver went out and soon after returned with another bag, then went out once more and this time brought the postman's sword on a big belt, of the pattern of that long flat blade with which Judith is portrayed by the bedside of Holofernes in cheap woodcuts. Laying the bags along the wall, he went out into the outer room, sat down there and lighted his pipe.

"Perhaps you'd like some tea after your journey?" RaTssa inquired.

"How can we sit drinking tea?" said the postman, frowning. "We must make haste and get warm, and then set off, or we shall be late for the mail train. We'll stay ten minutes and then get on our way. Only be so good as to show us the way."

"What an infliction it is, this weather!" sighed Raissa.

"H'm, yes. . . . Who may you be?"

"We? We live here, by the church. . . . We belong to the clergy. . . . There lies my husband. Savely, get up and say good-evening! This used to be a separate parish till eighteen months ago. Of course, when the gentry lived here there were more people, and it was worth while to have the services. But now the gentry have gone, and I need not tell you there's nothing for the clergy to live on. The nearest village is Markovka, and that's over three miles away. Savely is on the retired list now, and has got the watchman's job; he has to look after the church. . . ."

- На Гуляевский бугор, в имение генерала Калиновского, - ответила дьячиха, встрепенувшись и краснея.

- Слышь, Степан? - повернулся почтальон к ямщику, застрявшему в дверях с большим кожаным тюком на спине. - Мы на Гуляевский бугор попали!

- Да... далече!

Произнеся это слово в форме хриплого, прерывистого вздоха, ямщик вышел и, немного погодя, внес другой тюк, поменьше, затем еще раз вышел и на этот раз внес почтальонную саблю на широком ремне, похожую фасоном на тот длинный плоский меч, с каким рисуется на лубочных картинках Юдифь у ложа Олоферна. Сложив тюки вдоль стены, он вышел в сени, сел там и закурил трубку.

- Может, с дороги чаю покушаете? - спросила дьячиха.

- Куда тут чаи распивать! - нахмурился почтальон. - Надо вот скорее греться да ехать, а то к почтовому поезду опоздаем. Минут десять посидим и поедем. Только вы, сделайте милость, дорогу нам покажите...

- Наказал бог погодой! - вздохнула дьячиха.

- М-да... Вы же сами кто тут будете?

- Мы? Тутошние, при церкви... Мы из духовного звания... Вон мой муж лежит! Савелий, встань же, иди поздоровайся! Тут прежде приход был, а года полтора назад его упразднили. Оно, конечно, когда господа тут жили, то и люди были, стоило приход держать, а теперь без господ, сами судите, чем духовенству жить, ежели самая близкая деревня здесь Марковка, да и та за пять верст! Теперь Савелий заштатный и... заместо сторожа. Ему споручено за церквой глядеть...

And the postman was immediately informed that if Savely were to go to the General's lady and ask her for a letter to the bishop, he would be given a good berth. "But he doesn't go to the General's lady because he is lazy and afraid of people. We belong to the clergy all the same . . ." added Raissa.

"What do you live on? " asked the postman.

"There's a kitchen garden and a meadow belonging to the church. Only we don't get much from that," sighed Raissa. "The old skinflint, Father Nikodim, from the next village celebrates here on St. Nicolas' Day in the winter and on St. Nicolas' Day in the summer, and for that he takes almost all the crops for himself. There's no one to stick up for us!"

"You are lying," Savely growled hoarsely. "Father Nikodim is a saintly soul, a luminary of the Church; and if he does take it, it's the regulation!"

"You've a cross one!" said the postman, with a grin. "Have you been married long?"

"It was three years ago the last Sunday before Lent. My father was sexton here in the old days, and when the time came for him to die, he went to the Consistory and asked them to send some unmarried man to marry me that I might keep the place. So I married him."

"Aha, so you killed two birds with one stone!" said the postman, looking at Savely's back. "Got wife and job together."

Savely wriggled his leg impatiently and moved closer to the wall. The postman moved away from the table, stretched, and sat down on the mail-bag. After a moment's thought he squeezed the bags with his hands, shifted his sword to the other side, and lay down with one foot touching the floor.

"It's a dog's life," he muttered, putting his hands behind his head and closing his eyes. "I wouldn't wish a wild Tatar such a life."

И почтальон тут же узнал, что если бы Савелий поехал к генеральше и выпросил у нее записку к преосвященному, то ему дали бы хорошее место; не идет же он к генеральше потому, что ленив и боится людей.

- Все-таки мы духовного звания... - добавила дьячиха.

- Чем же вы живете? - спросил почтальон.

- При церкви есть сенокос и огороды. Только нам от этого мало приходится... - вздохнула дьячиха. - Дядькинский отец Никодим, завидущие глаза, служит тут на Николу летнего да на Николу зимнего и за это почти всё себе берет. Заступиться некому!

- Врешь! - прохрипел Савелий. - Отец Никодим святая душа, светильник церкви, а ежели берет, то по уставу!

- Какой он у тебя сердитый! - усмехнулся почтальон. - А давно ты замужем?

- С прощеного воскресенья четвертый год пошел. Тут прежде в дьячках мой папенька были, а потом, как пришло им время помирать, они, чтоб место за мной осталось, поехали в консисторию и попросили, чтоб мне какого-нибудь неженатого дьячка в женихи прислали. Я и вышла.

- Ага, стало быть, ты одной хлопушкой двух мух убил! - сказал почтальон, глядя на спину Савелия. - И место получил, и жену взял.

Савелий нетерпеливо дрыгнул ногой и ближе придвинулся к стенке. Почтальон вышел из-за стола, потянулся и сел на почтовый тюк. Немного подумав, он помял руками тюки, переложил саблю на другое место и растянулся, свесив на пол одну ногу.

- Собачья жизнь... - пробормотал он, кладя руки под голову и закрывая глаза. - И лихому татарину такой жизни не пожелаю.

Soon everything was still. Nothing was audible except the sniffing of Savely and the slow, even breathing of the sleeping postman, who uttered a deep prolonged "h-h-h" at every breath. From time to time there was a sound like a creaking wheel in his throat, and his twitching foot rustled against the bag.

Savely fidgeted under the quilt and looked round slowly. His wife was sitting on the stool, and with her hands pressed against her cheeks was gazing at the postman's face. Her face was immovable, like the face of some one frightened and astonished.

"Well, what are you gaping at?" Savely whispered angrily.

"What is it to you? Lie down! " answered his wife without taking her eyes off the flaxen head.

Savely angrily puffed all the air out of his chest and turned abruptly to the wall. Three minutes later he turned over restlessly again, knelt up on the bed, and with his hands on the pillow looked askance at his wife. She was still sitting motionless, staring at the visitor. Her cheeks were pale and her eyes were glowing with a strange fire. The sexton cleared his throat, crawled on his stomach off the bed, and going up to the postman, put a handkerchief over his face.

"What's that for?" asked his wife.

"To keep the light out of his eyes."

"Then put out the light!"

Savely looked distrustfully at his wife, put out his lips towards the lamp, but at once thought better of it and clasped his hands.

"Isn't that devilish cunning?" he exclaimed. "Ah! Is there any creature slyer than womenkind?"

"Ah, you long-skirted devil!" hissed his wife, frowning with vexation. "You wait a bit!"

Скоро наступила тишина. Слышно было только, как сопел Савелий да как уснувший почтальон, мерно и медленно дыша, при всяком выдыхании испускал густое, протяжное "к-х-х-х...". Изредка в его горле поскрипывало какое-то колесико да шуршала по тюку вздрагивавшая нога.

Савелий заворочался под одеялом и медленно оглянулся. Дьячиха сидела на табурете и, сдавив щеки ладонями, глядела в лицо почтальона. Взгляд ее был неподвижный, как у удивленного, испуганного человека.

- Ну, чего воззрилась? - сердито прошептал Савелий.

- А тебе что? Лежи! - ответила дьячиха, не отрывая глаз от белокурой головы.

Савелий сердито выдохнул из груди весь воздух и резко повернулся к стене. Минуты через три он опять беспокойно заворочался, стал в постели на колени и, упершись руками о подушку, покосился на жену. Та всё еще не двигалась и глядела на гостя. Щеки ее побледнели и взгляд загорелся каким-то странным огнем. Дьячок крякнул, сполз на животе с постели и, подойдя к почтальону, прикрыл его лицо платком.

- Зачем ты это? - спросила дьячиха.

- Чтоб огонь ему в глаза не бил.

- А ты огонь совсем потуши!

Савелий недоверчиво поглядел на жену, потянулся губами к лампочке, но тотчас же спохватился и всплеснул руками.

- Ну, не хитрость ли бесовская? - воскликнул он. - А? Ну, есть ли какая тварь хитрее бабьего роду?

- А, сатана длиннополая! - прошипела дьячиха, поморщившись от досады. - Погоди же!

And settling herself more comfortably, she stared at the postman again.

It did not matter to her that his face was covered. She was not so much interested in his face as in his whole appearance, in the novelty of this man. His chest was broad and powerful, his hands were slender and well formed, and his graceful, muscular legs were much comelier than Savely's stumps. There could be no comparison, in fact.

"Though I am a long-skirted devil," Savely said after a brief interval, "they've no business to sleep here. . . . It's government work; we shall have to answer for keeping them. If you carry the letters, carry them, you can't go to sleep. . . . Hey! you!" Savely shouted into the outer room. "You, driver. . . . What's your name? Shall I show you the way? Get up; postmen mustn't sleep!"

And Savely, thoroughly roused, ran up to the postman and tugged him by the sleeve.

"Hey, your honour, if you must go, go; and if you don't, it's not the thing. . . . Sleeping won't do."

The postman jumped up, sat down, looked with blank eyes round the hut, and lay down again.

"But when are you going?" Savely pattered away. "That's what the post is for — to get there in good time, do you hear? I'll take you."

The postman opened his eyes. Warmed and relaxed by his first sweet sleep, and not yet quite awake, he saw as through a mist the white neck and the immovable, alluring eyes of the sexton's wife. He closed his eyes and smiled as though he had been dreaming it all.

"Come, how can you go in such weather!" he heard a soft feminine voice; "you ought to have a sound sleep and it would do you good!"

"And what about the post?" said Savely anxiously. "Who's going to take the post? Are you going to take it, pray, you?"

И, поудобнее усевшись, она опять уставилась на почтальона.

Ничего, что лицо было закрыто. Ее не столько занимало лицо, как общий вид, новизна этого человека. Грудь у него была широкая, могучая, руки красивые, тонкие, а мускулистые, стройные ноги были гораздо красивее и мужественнее, чем две "кулдышки" Савелия. Даже сравнивать было невозможно.

- Хоть я и длиннополый нечистый дух, - проговорил, немного постояв, Савелий, - а тут им нечего спать... Да... Дело у них казенное, мы же отвечать будем, зачем их тут держали. Коли везешь почту, так вези, а спать нечего... Эй, ты! - крикнул Савелий в сени. - Ты, ямщик... как тебя? Проводить вас, что ли? Вставай, нечего с почтой спать!

И расходившийся Савелий подскочил к почтальону и дернул его за рукав.

- Эй, ваше благородие! Ехать, так ехать, а коли не ехать, так и не тово... Спать не годится.

Почтальон вскочил, сел, обвел мутным взглядом сторожку и опять лег.

- А ехать же когда? - забарабанил языком Савелий, дергая его за рукав. - На то ведь она и почта, чтоб во благовремении поспевать, слышишь? Я провожу.

Почтальон открыл глаза. Согретый и изнеможенный сладким первым сном, еще не совсем проснувшийся, он увидел, как в тумане, белую шею и неподвижный, масленый взгляд дьячихи, закрыл глаза и улыбнулся, точно ему всё это снилось.

- Ну, куда в такую погоду ехать! - услышал он мягкий женский голос. - Спали бы себе да спали на доброе здоровье!

- А почта? - встревожился Савелий. - Кто же почту-то повезет? Нешто ты повезешь? Ты?

The postman opened his eyes again, looked at the play of the dimples on Raissa's face, remembered where he was, and understood Savely. The thought that he had to go out into the cold darkness sent a chill shudder all down him, and he winced.

"I might sleep another five minutes," he said, yawning. "I shall be late, anyway. . . ."

"We might be just in time," came a voice from the outer room. "All days are not alike; the train may be late for a bit of luck."

The postman got up, and stretching lazily began putting on his coat.

Savely positively neighed with delight when he saw his visitors were getting ready to go.

"Give us a hand," the driver shouted to him as he lifted up a mail-bag.

The sexton ran out and helped him drag the postbags into the yard. The postman began undoing the knot in his hood. The sexton's wife gazed into his eyes, and seemed trying to look right into his soul.

"You ought to have a cup of tea . . ." she said.

"I wouldn't say no . . . but, you see, they're getting ready," he assented. "We are late, anyway."

"Do stay," she whispered, dropping her eyes and touching him by the sleeve.

The postman got the knot undone at last and flung the hood over his elbow, hesitating. He felt it comfortable standing by Raissa.

"What a . . . neck you've got! . . ." And he touched her neck with two fingers. Seeing that she did not resist, he stroked her neck and shoulders.

"I say, you are . . ."

"You'd better stay . . . have some tea."

Почтальон снова открыл глаза, взглянул на двигающиеся ямки на лице дьячихи, вспомнил, где он, понял Савелия. Мысль, что ему предстоит ехать в холодных потемках, побежала из головы по всему телу холодными мурашками, и он поежился.

- Пять минуток еще бы можно поспать... - зевнул он. - Всё равно опоздали...

- А может, как раз вовремя приедем! - послышался голос из сеней. - Гляди, неровен час и сам поезд на наше счастье опоздает.

Почтальон поднялся и, сладко потягиваясь, стал надевать пальто.

Савелий, видя, что гости собираются уезжать, даже заржал от удовольствия.

- Помоги, что ль! - крикнул ему ямщик, поднимая с пола тюк.

Дьячок подскочил к нему и вместе с ним потащил на двор почтовую кладу. Почтальон стал распутывать узел на башлыке. А дьячиха заглядывала ему в глаза и словно собиралась залезть ему в душу

- Чаю бы попили... - сказала она.

- Я бы ничего... да вот они собрались! - соглашался он. - Всё равно опоздали.

- А вы останьтесь! - шепнула она, опустив глаза и трогая его за рукав.

Почтальон развязал, наконец, узел и в нерешимости перекинул башлык через локоть. Ему было тепло стоять около дьячихи.

- Какая у тебя... шея...

И он коснулся двумя пальцами ее шеи. Видя, что ему не сопротивляются, он погладил рукой шею, плечо...

- Фу, какая...

- Остались бы... чаю попили бы.

"Where are you putting it?" The driver's voice could be heard outside. "Lay it crossways."

"You'd better stay. . . . Hark how the wind howls."

And the postman, not yet quite awake, not yet

quite able to shake off the intoxicating sleep of youth and fatigue, was suddenly overwhelmed by a desire for the sake of which mail-bags, postal trains . . . and all things in the world, are forgotten. He glanced at the door in a frightened way, as though he wanted to escape or hide himself, seized Raissa round the waist, and was just bending over the lamp to put out the light, when he heard the tramp of boots in the outer room, and the driver appeared in the doorway. Savely peeped in over his shoulder. The postman dropped his hands quickly and stood still as though irresolute.

"It's all ready," said the driver. The postman stood still for a moment, resolutely threw up his head as though waking up completely, and followed the driver out. Raissa was left alone.

"Come, get in and show us the wayl " she heard.

One bell sounded languidly, then another, and the jingling notes in a long delicate chain floated away from the hut.

When little by little they had died away, Raissa got up and nervously paced to and fro. At first she was pale, then she flushed all over. Her face was contorted with hate, her breathing was tremulous, her eyes gleamed with wild, savage anger, and, pacing up and down as in a cage, she looked like a tigress menaced with red-hot iron. For a moment she stood still and looked at her abode. Almost half of the room was filled up by the bed, which stretched the length of the whole wall and consisted \ of a dirty feather-bed, coarse grey pillows, a quilt, land nameless rags of various sorts. The bed was a shapeless ugly mass which suggested the shock of I hair that always stood up on Savely's head whenever! it occurred to him to oil it.

- Куда кладешь? Ты, кутья с патокой! - послышался со двора голос ямщика. - Поперек клади.

- Остались бы... Ишь как воет погода!

И не совсем еще проснувшимся, не успевшим стряхнуть с себя обаяние молодого томительного сна, почтальоном вдруг овладело желание, ради которого запиваются тюки, почтовые поезда... всё на свете. Испуганно, словно желая бежать или спрятаться, он взглянул на дверь, схватил за талию дьячиху и уж нагнулся над лампочкой, чтобы потушить огонь, как в сенях застучали сапоги и на пороге показался ямщик... Из-за его плеча выглядывал Савелий. Почтальон быстро опустил руки и остановился словно в раздумье.

- Всё готово! - сказал ямщик.

Почтальон постоял немного, резко мотнул головой, как окончательно проснувшийся, и пошел за ямщиком. Дьячиха осталась одна.

- Что же, садись, показывай дорогу! - услышало она.

Лениво зазвучал один колокольчик, затем другой, и звенящие звуки мелкой, длинной цепочкой понеслись от сторожки.

Когда они мало-помалу затихли, дьячиха рванулась с места и, нервно заходила из угла в угол. Сначала она была бледна, потом же вся раскраснелась. Лицо ее исказилось ненавистью, дыхание задрожало, глаза заблестели дикой, свирепой злобой, и, шагая как в клетке, она походила на тигрицу, которую пугают раскаленным железом. На минуту остановилась она и взглянула на свое жилье. Чуть ли не полкомнаты занимала постель, тянувшаяся вдоль всей стены и состоявшая из грязной перины, серых жестких подушек, одеяла и разного безымянного тряпья. Эта постель представляла собой бесформенный, некрасивый ком, почти такой же, какой торчал на голове Савелия всегда, когда тому приходила охота маслить свои волосы.

From the bed to the door that led into the cold outer room stretched the dark stove surrounded by pots and hanging clouts. Everything, including the absent Savely himself, was dirty, greasy, and smutty to the last degree, so that it was strange to see a woman's white neck and delicate skin in such surroundings.

Rai'ssa ran up to the bed, stretched out her hands as though she wanted to fling it all about, stamp it underfoot, and tear it to shreds. But then, as though frightened by contact with the dirt, she leapt back and began pacing up and down again.

When Savely returned two hours later, worn out I and covered with snow, she was undressed and in I bed. Her eyes were closed, but from the slight tremor that ran over her face he guessed that she was not asleep. On his way home he had vowed inwardly to wait till next day and not to touch her, but he could not resist a biting taunt at her.

"Your witchery was all in vain: he's gone off,"j he said, grinning with malignant joy.

His wife remained mute, but her chin quivered. Savely undressed slowly, clambered over his wife, and lay down next to the wall.

"To-morrow I'll let Father Nikodim know what sort of wife you are!" he muttered, curling himself up.

Rai'ssa turned her face to him and her eyes gleamed.

"The job's enough for you, and you can look for

a wife in the forest, blast you!" she said. "I am no wife for you, a clumsy lout, a slug-a-bed, God forgive me!"

"Come, come ... go to sleep!"

"How miserable I am! " sobbed his wife. "If it weren't for you, I might have married a merchant or some gentleman! If it weren't for you, I should love my husband now! And you haven't been buried in the snow, you haven't been frozen on the highroad, you Herod!"

От постели до двери, выходившей в холодные сени, тянулась темная печка с горшками и висящими тряпками. Все, не исключая и только что вышедшего Савелия, было донельзя грязно, засалено, закопчено, так что было странно видеть среди такой обстановки белую шею и тонкую, нежную кожу женщины. Дьячиха подбежала к постели, протянула руки, как бы желая раскидать, растоптать и изорвать в пыль всё это, но потом, словно испугавшись прикосновения к грязи, она отскочила назад и опять зашагала...

Когда часа через два вернулся облепленный снегом и замученный Савелий, она уже лежала раздетая в постели. Глаза у нее были закрыты, но по мелким судорогам, которые бегали по ее лицу, он догадался, что она не спит. Возвращаясь домой, он дал себе слово до завтра молчать и не трогать ее, но тут не вытерпел, чтобы не уязвить.

- Даром только ворожила: уехал! - сказал он, злорадно ухмыльнувшись.

Дьячиха молчала, только подбородок ее дрогнул. Савелий медленно разделся, перелез через жену и лег к стенке.

- А вот завтра я объясню отцу Никодиму, какая ты жена! - пробормотал он, съеживаясь калачиком.

Дьячиха быстро повернулась к нему лицом и сверкнула на него глазами.

- Будет с тебя и места, - сказала она, - а жену поищи себе в лесу! Какая я тебе жена? Да чтоб ты треснул! Вот еще навязался на мою голову телепень, лежебока, прости господи!

- Ну, ну... Спи!

- Несчастная я! - зарыдала дьячиха. - Коли б не ты, я, может, за купца бы вышла или за благородного какого! Коли б не ты, я бы теперь мужа любила! Не замело тебя снегом, не замерз ты там на большой дороге, ирод!

Raissa cried for a long time. At last she drew a deep sigh and was still. The storm still raged without. Something wailed in the stove, in the chimney, outside the walls, and it seemed to Savely that the wailing was within him, in his ears. This evening had completely confirmed him in his suspicions about his wife. He no longer doubted that his wife, with the aid of the Evil One, controlled the winds and the post sledges. But to add to his grief, this mysteriousness, this supernatural, weird power gave the woman beside him a peculiar, incomprehensible charm of which he had not been conscious before. The fact that in his stupidity he unconsciously threw a poetic glamour over her made her seem, as it were, whiter, sleeker, more unapproachable.

"Witch!" he muttered indignantly. "Tfoo, horrid creature!"

Yet, waiting till she was quiet and began breathing evenly, he touched her head with his finger . . . held her thick plait in his hand for a minute. She did not feel it. Then he grew bolder and stroked her neck.

"Leave off!" she shouted, and prodded him on the nose with her elbow with such violence that he saw stars before his eyes.

The pain in his nose was soon over, but the torture in his heart remained.

Долго плакала дьячиха. В конце концов она глубоко вздохнула и утихла. За окном всё еще злилась вьюга. В печке, в трубе, за всеми стенами что-то плакало, а Савелию казалось, что это у него внутри и в ушах плачет. Сегодняшним вечером он окончательно убедился в своих предположениях относительно жены. Что жена его при помощи нечистой силы распоряжалась ветрами и почтовыми тройками, в этом уж он более не сомневался. Но, к сугубому горю его, эта таинственность, эта сверхъестественная, дикая сила придавали лежавшей около него женщине особую, непонятную прелесть, какой он и не замечал ранее. Оттого, что он по глупости, сам того не замечая, опоэтизировал ее, она стала как будто белее, глаже, неприступнее...

- Ведьма! - негодовал он. - Тьфу, противная!

А между тем, дождавшись, когда она утихла и стала ровно дышать, он коснулся пальцем ее затылка... подержал в руке ее толстую косу. Она не слышала... Тогда он стал смелее и погладил ее по шее.

- Отстань! - крикнула она и так стукнула его локтем в переносицу, что из глаз его посыпались искры.

Боль в переносице скоро прошла, но пытка всё еще продолжалась.

Diary of a Madman

Nikolai Gogol

October 3rd.

AN extraordinary circumstance happened to-day. I got up rather late, and when Mavra brought me my boots I asked her what time it was. Hearing that it was long past ten I dressed hurriedly. I confess I did not want to go to the Department at all, knowing beforehand what black looks I should get from the chief of our division. For some time he's taken to saying to me, "What ever sort of rot have you always got in your head now, man? Sometimes you tear about Mke a possessed creature; sometimes you muddle the papers so that the very devil couldn't make them out; you write the titles without capital letters, and leave out all the dates and numbers!" Hang the fellow! He's envious, of course, because I sit in the director's study and mend his excellency's pens. In short, I shouldn't have gone to the Department at all if I hadn't hoped to meet the treasurer, and, perhaps, get the confounded idiot to give me, anyway, a little of my salary in advance. I never came across such a creature! For him to ever advance one the money a single month—why, doomsday will come before that happens! You can beg him, entreat him—however hard up you are the old grey devil won't give it you. And yet at home his own cook boxes his ears. She does—everybody knows that. I can't understand what advantage it is to serve in the Department. There are no resources whatsoever. Now, in the Provincial Administration, or in the Common Courts, or Court of Exchequer— that's quite another thing; there sometimes you'll see a fellow squeezed up in the corner writing away, in a shabby old coat, and such a fright to look at, and yet see what a nice little villa he rents! You can't offer him a gilded china cup, for instance;

Записки Сумасшедший

Николай Гоголь

Октября 3.

Сегодняшнего дня случилось необыкновенное приключение. Я встал поутру довольно поздно, и когда Мавра принесла мне вычищенные сапоги, я спросил, который час. Услышавши, что уже давно било десять, я поспешил поскорее одеться. Признаюсь, я бы совсем не пошел в департамент, зная заранее, какую кислую мину сделает наш начальник отделения. Он уже давно мне говорит: "Что это у тебя, братец, в голове всегда ералаш такой? Ты иной раз метаешься как угорелый, дело подчас так спутаешь, что сам сатана не разберет, в титуле поставишь маленькую букву, не выставишь ни числа, ни номера". Проклятая цапля! он, верно, завидует, что я сижу в директорском кабинете и очиниваю перья для его превосходительства. Словом, я не пошел бы в департамент, если бы не надежда видеться с казначеем и авось-либо выпросить у этого идиот хоть сколько-нибудь из жалованья вперед. Вот еще создание! Чтобы он выдал когда-нибудь вперед за месяц деньги - господи боже мой, да скорее Страшный суд придет. Проси, хоть тресни, хоть будь в разнужде, - не выдаст, седой черт. А на квартире собственная кухарка бьет его по щекам. Это всему свету известно. Я не понимаю выгод служить в департаменте. Никаких совершенно ресурсов. Вот в губернском правлении, гражданских и казенных палатах совсем другое дело: там, смотришь, иной прижался в самом уголку и пописывает.

Фрачишка на нем гадкий, рожа такая, что плюнуть хочется, а посмотри ты, какую он дачу нанимает! Фарфоровой вызолоченной чашки и не неси к нему:

"Это, говорит, докторский подарок"; а ему давай пару рысаков, или дрожки, или бобер рублей в триста. С виду такой тихенький, говорит так деликатно:

He'll say, "That's a doctor's present." No, you must give him a pair of carriage horses, or a fine sledge, or beaver fur worth three hundred roubles. He'll look as meek as meek can be, and talk so sweetly— "May I trouble you to lend me your penknife?" and then he'll fleece you—till he leaves nothing but the shirt on your back. It's true, though, our service is more genteel— everything's so clean, the tables are of red wood, and all the directors say "you." Indeed, but that it's a genteel service, I'd have left the Department long ago.

I put on my old cloak and took my umbrella because it was pouring with rain. There was no one in the streets; I saw nothing but a few women with shawls over their heads and some Russian shopkeepers with umbrellas. There was no one of the upper classes about except an official like myself. I saw him at a crossing, and said to myself, "Aha! No, my friend, you're not going to the Department; you're running after the woman in front of you and looking at her ankles." What a set of brutes our officials are! They're just as bad as any officer ; can't see a woman's hat at all without going for it. Just as I was thinking that, I saw a carriage driving up to a shop I was passing. I knew it at once; it was our director's carriage. "But he wouldn't be going shopping," I thought; "it must be his daughter." I stopped, and leaned against the wall; a footman opened the carriage door, and she sprang out like a bird. How she glanced round with those eyes and brows of hers! Heaven defend me! I am done for! And why ever should she drive out in this pouring rain? And then people say that women are not devoted to chiffons! She did not recognise me, and indeed I purposely muffled myself up, because my cloak was very muddy and old-fashioned too. Now they are worn with deep capes, and mine had little capes one above the other; and the cloth wasn't good either.

"Одолжите ножичка починить перышко", - а там обчистит так, что только одну рубашку оставит на проситслс. Правда, у нас зато служба благородная, чистота во всем такая, какой вовеки не видеть губернскому правлению: столы из красного дерева, и все начальники на вы. Да, признаюсь, если бы не благородство службы, я бы давно оставил департамент.

Я надел старую шинель и взял зонтик, потому что шел проливной дождик.

На улицах не было никого; одни только бабы, накрывшись полами платья, да русские купцы под зонтиками, да курьеры попадались мне на глаза. Из благородных только наш брат чиновник попался мне. Я увидел его на перекрестке. Я, как увидел его, тотчас сказал себе: "Эге! нет, голубчик, ты не в департамент идешь, ты спешишь вон за тою, что бежит впереди, и глядишь на ее ножки". Что это за бестия наш брат чиновник! Ей-богу, не уступит никакому офицеру: пройди какая-нибудь в шляпке, непременно зацепит. Когда я думал это, увидел подъехавшую карету к магазину, мимо которого я проходил. Я сейчас узнал ее: это была карета нашего директора. "Но ему незачем в магазин, - я подумал, - верно, это его дочка". Я прижался к стенке. Лакей отворил дверцы, и она выпорхнула из кареты, как птичка. Как взглянула она направо и налево, как мелькнула своими бровями и глазами... Господи, боже мой! пропал я, пропал совсем. И зачем ей выезжать в такую дождевую пору.

Утверждай теперь, что у женщин не велика страсть до всех этих тряпок. Она не узнала меня, да и я сам нарочно старался закутаться как можно более, потому что на мне была шинель очень запачканная и притом старого фасона. Теперь плащи носят с длинными воротниками, а на мне были коротенькие, один на другом; да и сукно совсем не дегатированное.

Her lap-dog didn't get in before the shop-door was shut, and was left out in the street. I know that dog; it is called Medji. The next minute I suddenly heard a little voice:

"Good-morning, Medji." Why! what the deuce! Who said that? I looked round and saw two ladies under an umbrella, an old lady and a young one; but they went past; and sud denly I heard again, "Oli, for shame, Medji!" What the devil! There were Medji and the ladies' lap-dog smelling each other. "I say," thought I to myself, "I must be drunk!" And yet it is a rare thing with me to be drunk. "No, Fidele, you are quite mistaken" (I actually saw Medji saying that). "I have been—bow-wow-wow— I have been—bow - wow - wow—very ill." Well, there now! I really was very much surprised ^to hear the lapdog talking in human speech. But afterwards, when I thought it over, it didn't astonish me. Indeed, there have been many such cases in the world. It is said that there appeared in England a fish that said two words in such a strange language that the learned men have been three years trying to make out what it said, and can't understand it yet. And I remember reading in the newspapers about two cows that went into a shop and asked for a pound of tea. But I was very much more astonished when Medji said, "I wrote to you, Fidele; Polkan can't have brought the letter." Well! may I lose my salary if ever I heard in my life that dogs could write!

It quite amazed me. Lately, indeed, I have begun to see and hear sometimes things that nobody ever saw or heard before.

Собачонка ее, не успевши вскочить в дверь магазина, осталась на улице. Я знаю эту собачонку. Ее зовут Меджи. Не успел я пробыть минуту, как вдруг слышу тоненький голосок:

"Здравствуй, Меджи!" Вот тебе на! кто это говорит? Я обсмотрелся и увидел под зонтиком шедших двух дам: одну старушку, другую молоденькую; но они уже прошли, а возле меня опять раздалось: "Грех тебе, Меджи!" Что за черт! Я увидел, что Меджи обнюхивалась с собачонкою, шедшею за дамами. "Эге! - сказал я сам себе, - да полно, не пьян ли я? Только это, кажется, со мною редко случается".- "Нет, Фидель, ты напрасно думаешь, - я видел сам, что произнесла Меджи, - я была, ав! ав! я была, ав, ав, ав! очень больна". Ах ты ж, собачонка! Признаюсь, я очень удивился, услышав ее говорящею по-человечески. Но после, когда я сообразил все это хорошенько, то тогда же перестал удивляться. Действительно, на свете уже случилось множество подобных примеров. Говорят, в Англии выплыла рыба, которая сказала два слова на таком странном языке, что ученые уже три года стараются определить и еще до сих пор ничего не открыли. Я читал тоже в газетах о двух коровах, которые пришли в лавку и спросили себе фунт чаю. Но, признаюсь, я гораздо более удивился, когда Меджи сказала: "Я писала к тебе, Фидель; верно, Полкан не принес письма моего!" Да чтоб я не получил жалованъя! Я еще в жизни не слыхивал, чтобы собака могла писать. Правильно писать может только дворянин.

Оно, конечно, некоторые и купчики-конторщики и даже крепостной народ дописывает иногда; но их писание большею частью механическое: ни запятых, ни точек, ни слога.

Это меня удивило. Признаюсь, с недавнего времени я начинаю иногда слышать и видеть такие вещи, которых никто еще не видывал и не слыхивал.

"I'll follow that lap-dog," thought I, "and find out what it is and what it thinks." So I shut up my umbrella and followed the two ladies. They went along Gorokhovaya Street, turned into Myeshchanskaya, then into a carpenter's shop, and at last up to the Kokoushkin Bridge, and there they stopped before a big house. "I know that house," said I to myself; "that's Tvyerkov's house." What a monster! Just to think of the numbers of people that live there—such a lot of strangers, servant maids, and as for my fellow officials, they are packed together like dogs!

I have a friend living there who plays the trumpet very well. The ladies went up to the fifth story. "All right," thought I, "I won't go in now, but I will mark the place, and take advantage of the first opportunity."

October 4th

To-day is Wednesday, so I have been on duty in the director's study. I purposely went early, sat down and mended all the pens. Our director must be a very clever man—all his study is fitted up with bookshelves. I read the titles of several books, but they were all so learned, so fearfully learned, that they are no use for a poor fellow like me; they are all either in French or in German. And just to look at his face! See the importance beaming in his eyes! I have never even heard of his saying an unnecessary word. Only, you know, when you hand him a paper he will ask, "What's the weather like?" "Damp, your excellency." Yes; we are not up to his level; he's a statesman. Nevertheless, I have remarked that he is peculiarly fond of me. Now if only his daughter . . . Confound it all! Never mind; never mind; hush! I began to read *The Little Bee.* What a stupid nation the French are!

"Пойду-ка я, - сказал я сам себе, - за этой собачонкою и узнаю, что она и что такое думает".

Я развернул свой зонтик и отправился за двумя дамами. Перешли в Гороховую, поворотили в Мещанскую, оттуда в Столярную, наконец к Кокушкину мосту и остановились перед большим домом. "Этот дом я знаю, - сказал я сам себе. - Это дом Зверкова". Эка машина! Какого в нем народа не живет: сколько кухарок, сколько приезжих! а нашей братьи чиновников - как собак, один на другом сидит. Там есть и у меня один приятель, который хорошо играет на трубе. Дамы взошли в пятый этаж. "Хорошо, - подумал я, - теперь не пойду, а замечу место и при первом случае не премину воспользоваться".

Октября 4.

Сегодня середа, и потому я был у нашего начальника в кабинете. Я нарочно пришел пораньше и, засевши, перечинил все перья. Наш директор должен быть очень умный человек. Весь кабинет его уставлен шкафами с книгами. Я читал название некоторых: все ученость, такая ученость, что нашему брату и приступа нет: все или на французском, или на немецком. А посмотреть в лицо ему: фу, какая важность сияет в глазах! Я еще никогда не слышал, чтобы он сказал лишнее слово. Только разве, когда подашь бумаги, спросит: "Каково на дворе?" - "Сыро, ваше превосходительство!" Да, не нашему брату чета!

Государственный человек. Я замечаю, однако же, что он меня особенно любит.

Если бы и дочка... эх, канальство!.. Ничего, ничего, молчание! Читал "Пчелку". Эка глупый народ французы!

On my honour, I'd take them and flog them all round. Well, I was reading a charming account of a ball, written by a country squire from Koursk. The Koursk squires write very well. After that I observed that it was half-past twelve, and that the director hadn't come out of his bedroom. But about half-past one there happened an occurrence that no pen can describe. The door opened, and, thinking it was the director, I jumped up with my papers; but it was—She; She herself! Holy saints! how she was dressed! All in white, like a swan, and so gorgeously! And how she looked! like the sunlight, I swear. She bowed to me and said, "Has papa been here?" AY, a'f, ai', what a voice! A perfect canary bird !" Your excellency," I would have said, "have mercy on me. But, if I must die, let me die by your august hand." But, the devil take it, all that would come on to my tongue was, "No, madam." She looked at me; she looked at the books; she dropped her handkerchief. I rushed for it, slipped on the confounded polished floor, and nearly broke my nose. Still I managed to get the handkerchief. Heavens and earth! What a handkerchief! So fine; pure cambric; amber-
scented; exhaling the aroma of high rank. She thanked me, laughed just a little, so that her sweet lips hardly moved, and went away. I waited another hour, and then a lackey came in and said, "You can go home, Aksentyi Ivanovich. My master has gone out." I cannot endure the footman class;.they always lounge about in the ante-room, and don't so much as take the trouble to nod to you. Indeed, that's not all; once, one of these brutes had the insolence to offer me some tobacco without getting up. Why, can't you understand, you stupid flunkey, that I am an official, that I am of noble birth! Nevertheless I took my hat, put on my cloak myself (these gentry never think of helping one), and went out. At home I spent most of the day lying on my bed.

Ну, чего хотят они? Взял бы, ей-богу, их всех, да и перепорол розгами! Там же читал очень приятное изображение бала, описанное курским помещиком. Курские помещики хорошо пишут. После этого заметил я, что уже било половину первого, а наш не выходил из своей спальни. Но около половины второго случилось происшествие, которого никакое перо не опишет. Отворилась дверь, я думал, что директор, и вскочил со стула с бумагами; но это была она, она сама! Святители, как она была одета! Платье на ней было белое, как лебедь: фу, какое пышное! а как глянула: солнце, ей-богу, солнце! Она поклонилась и сказала: "Папа' здесь не было?" Ах, ай, ай! какой голос! Канарейка, право, канарейка! "Ваше превосходительство, - хотел я было сказать, - не прикажите казнить, а если уже хотите казнить, то казните вашею генеральскою ручкою". Да, черт возьми, как-то язык не поворотился, и я сказал только: "Никак нет-с". Она поглядела на меня, на книги и уронила платок. Я кинулся со всех ног, подскользнулся на проклятом паркете и чуть-чуть не расклеил носа, однако ж удержался и достал платок.

Святые, какой платок! тончайший, батистовый - амбра, совершенная амбра! Так и дышит от него генеральством. Она поблагодарила и чуть-чуть усмехнулась, так что сахарные губки ее почти не тронулись, и после этого ушла. Я еще час сидел, как вдруг пришел лакей и сказал: "Ступайте, Аксентий Иванович, домой, барин уже уехал из дому". Я терпеть не могу лакейского круга: всегда развалится в передней, и хоть бы головою потрудился кивнуть. Этого мало: один раз одна из этих бестий вздумала меня, не вставая с места, потчевать табачком. Да знаешь ли ты, глупый холоп, что я чиновник, я благородного происхождения. Однако ж я взял шляпу и надел сам на себя шинель, потому что эти господа никогда не подадут, и вышел. До'ма большею частию лежал на кровати.

Then I copied out some charming verses:

"An hour I had not seen my dearest,
That hour was as a year to me;
Oh life, how hateful thou appearest!
Oh let me die and cease to be I"

They must have been written by Poushkin. In the evening I muffled myself in my cloak, went to her excellency's doorstep, and waited long on the chance of seeing her for a moment coming out and getting into her carriage; but she did not come.

November 6th.

I have infuriated the chief of the section. When I came to the Department he called me into his room, and began talking after this fashion, "Now just tell me, my man, what you're after." "How? What? I'm not after anything," said I. "Now, think it over and be reasonable! Why, you're past forty; you ought to have come to years of discretion. What have you got into your head? Do you imagine I don't know all you're up to? Why, you are dangling about after the director's daughter! Now just look aj yourself, and think a minute what you are like. You know you're a complete nonentity. You know you haven't got a farthing in the world. Look at your face in the looking-glass—how can you think of such a thing?" The devil take it! Just because he has a face something like an apothecary's drug-bottle and one little wisp of hair on his head twisted up into a barber's cock's-comb, and holds up his head and smears it with a bandoline stick, he thinks he must be over everybody. But I understand, I understand perfectly well why he's so angry—he's envious; very likely he has noticed the signs of special favour shown tome. But what do I care for him? How very important —a D.C.L.! He's got a gold watch-chain and pays thirty roubles for his boots—and the devil take him! Does he imagine that I am one of the common people; that I'm the son of a tailor or a corporal?

Потом переписал очень хорошие стишки: "Душеньки часок не видя, Думал, год уж не видал; Жизнь мою возненавидя, Льзя ли жить мне, я сказал".

Должно быть, Пушкина сочинение. Ввечеру, закутавшись в шинель, ходил к подъезду ее превосходительства и поджидал долго, не выйдет ли сесть в карету, чтобы посмотреть еще разик, - но нет, не выходила.

Ноября 6.

Разбесил начальник отделения. Когда я пришел в департамент, он подозвал меня к себе и начал мне говорить так: "Ну, скажи, пожалуйста, что ты делаешь?" - "Как что? Я ничего не делаю", - отвечал я. "Ну, размысли хорошенько! ведь тебе уже за сорок лет - пора бы ума набраться. Что ты воображаешь себе? Ты думаешь, я не знаю всех твоих проказ? Ведь ты волочишься за директорскою дочерью! Ну, посмотри на себя, подумай только, что ты? ведь ты нуль, более ничего. Ведь у тебя нет ни гроша за душою.

Взгляни хоть в зеркало на свое лицо, куды тебе думать о том!" Черт возьми, что у него лицо похоже несколько на аптекарский пузырек, да на голове клочок волос, завитый хохолком, да держит ее кверху, да примазывает ее какою-то розеткою, так уже думает, что ему только одному все можно. Понимаю, понимаю, отчего он злится на меня. Ему завидно; он увидел, может быть, предпочтительно мне оказываемые знаки благорасположенности. Да я плюю на него! Велика важность надворный советник! вывесил золотую цепочку к часам, заказывает сапоги по тридцати рублей - да черт его побери! я разве из какие-нибудь разночинцев, из портных или из унтер-офицерских детей?

I am a noble! I, too, may rise in the service; I am only forty-two—just the proper age to begin one's career. Wait a bit, my friend! Perhaps we shall be a colonel some day, or higher up than that even, by God's grace; and we'll have a better reputation than yours is. I should like to know what put it into your head that no one can be a decent fellow except yourself. Give me a fashionably cut dress-coat and a fine necktie like yours, and you won't be fit to hold a candle to me. I have no fortune, that's the trouble.

November 8th.

I went to the theatre. They played the Russian fool, *Filhtka,* and I laughed heartily. Then there was some sort of vaudeville with very funny verses about lawyers, especially about a certain collegiate registrar. They were written in so free a style that I wondered at the censorship passing them; and about shopkeepers it was said, right out, that they cheat the public, and that their sons are dissipated and always trying to get into the nobility. There was a very comic verse about journalists— that they are always finding fault, and so the author begs the public to take his part. Very amusing things are written nowadays. I love the theatre; whenever I have a few pence in my pocket I can't resist going. Now, a good many of our officials are regular pigs; they care no more about the theatre than if they were peasants. Of course, if you give them a ticket free, they'll go. One actress sang very well. I thought of Her. . . . Oh! hang it all! . . . Never mind. . . . Hush!

Я дворянин. Что ж, и я могу дослужиться. Мне еще сорок два года - время такое, в которое, по-настоящему, только что начинается служба. Погоди, приятель!

будем и мы полковником, а может быть, если бог даст, то чем-нибудь и побольше. Заведем и мы себе репутацию еще и получше твоей. Что ж ты себе забрал в голову, что, кроме тебя, уже нет вовсе порядочного человека? Дай-ка мне ручевский фрак, сшитый по моде, да повяжи я себе такой же, как ты, галстук, - тебе тогда не стать мне и в подметки. Достатков нет - вот беда.

Ноября 8

Был в театре. Играли русского дурака Филатку. Очень смеялся. Был еще какой-то водевиль с забавными стишками на стряпчих, особенно на одного коллежского регистратора, весьма вольно написанные, так что я дивился, как пропустила цензура, а о купцах прямо говорят, что они обманывают народ и что сынки их дебошничают и лезут в дворяне. Про журналистов тоже очень забавный куплет: что они любят все бранить и что автор просит от публики защиты.

Очень забавные пьесы пишут нынче сочинители. Я люблю бывать в театре. Как только грош заведется в кармане - никак не утерпишь не пойти. А вот из нашей братьи чиновников есть такие свиньи: решительно не пойдет, мужик, в театр; разве уже дашь ему билет даром. Пела одна актриса очень хорошо. Я вспомнил о той... эх, канальство!.. ничего, ничего... молчание.

November 9th.

At eight o'clock I went to the Department. The chief of the section pretended not to notice my entrance at all. For my part, I behaved as if nothing had happened between us. I looked over a lot of papers, examined them; and went away at four o'clock. I passed the director's house, but there was no one to be seen. After dinner, I lay on my bed most of the time.

November 11th.

To-day I sat in our director's study and mended twenty-three pens for him, and four pens for Her—ai, ai'—for Her Excellency. He likes there to be plenty of pens. What a head he must have! He never speaks; but I suppose he is always thinking over things. I should like to know what he thinks about most, what is going on in that head. I should like to see more closely the life of these grand people; all their little conventionalisms and court tricks: how they live and what they do in their sphere,— that is what I should like to know. I have often thought of getting into conversation with his Excellency; but my confounded tongue won't do as I want; all I can say is that the weather's cold or warm—not another thing. I should like to have a look at that drawing-room that one sometimes sees the door of open; and at the room beyond the drawing-room. How richly it is all furnished. What mirrors, what porcelain! I should like to see the part of the house where Her Excellency lives! Oh! I know where I should like to go! Into her boudoir, where stand all the little toilet-trays and boxes, and flowers that . one dare not even breathe upon ; and where her dress lies flung down, more like air than a dress. I should like to peep into her bedroom. . . . There must be wonders! There indeed must be Paradise! Only to see the footstool that she steps on when she gets out of bed, when she draws the little stocking on to that snowy foot . . . ai! ai! ai! Never mind; never mind. . . . Hush!

Ноября 9.

В восемь часов отправился в департамент. Начальник отделения показал такой вид, как будто бы он не заметил моего прихода. Я тоже с своей стороны, как будто бы между нами ничего не было. Пересматривал и сверял бумаги. Вышел в четыре часа. Проходил мимо директорской квартиры, но никого не было видно. После обеда большею частию лежал на кровати.

Ноября 11.

Сегодня сидел в кабинете нашего директора, починил для него двадцать три пера и для ее, ай! ай!.. для ее превосходительства четыре пера. Он очень любит, чтобы стояло побольше перьев. У! должен быть голова! Все молчит, а в голове, я думаю, все обсуживает. Желалось бы мне узнать, о чем он больше всего думает; что такое затевается в этой голове. Хотелось бы мне рассмотреть поближе жизнь этих господ, все эти экивоки и придворные штуки - как они, что они делают в своем кругу, - вот что бы мне хотелось узнать! Я думал несколько раз завести разговор с его превосходительством, только, черт возьми, никак не слушается язык: скажешь только, холодно или тепло на дворе, а больше решительно ничего не выговоришь. Хотелось бы мне заглянуть в гостиную, куда видишь только иногда отворенную дверь, за гостиною еще в одну комнату. Эх, какое богатое убранство! Какие зеркала и фарфоры! Хотелось бы заглянуть туда, на ту половину, где ее ревосходительство, - вот куда хотелось бы мне! В будуар: как там стоят все эти баночки, скляночки, цветы такие, что и дохнуть на них страшно; как лежит там разбросанное ее платье, больше похожее на воздух, чем на платье. Хотелось бы заглянуть в спальню... там-то, я думаю, чудеса, там-то, я думаю, рай, какого и на небесах нет. Посмотреть бы ту скамеечку, на которую она становит, вставая с постели, свою ножку, как надевается на эту ножку белый, как снег, чулочек... ай! ай! ай! ничего, ничего... молчание.

To-day, however, a kind of light broke in upon me; I remembered the conversation between the two lap-dogs that I heard on the Nevsky Prospect. "All right," thought I to myself, "now I'll know everything. I must intercept the letters of those horrid little dogs. Then, of course, I shall find out something." Indeed, I once called Medjt to me, and said: "Now look here, Medji, we're quite alone; and, if you like, I'll lock the door, so that no one shall see. Tell me everything you know about your mistress—what she is like, and all about her. I swear to you that I will not repeat it to any one." But the cunning little dog put its tail between its legs, screwed itself all up, and went quietly out of the room as if it hadn't heard anything. I have suspected for a long time that dogs are far cleverer than people; indeed, I felt sure that they can speak, but for some sort of obstinacy. They are wonderfully politic; they notice everything a man does. No; whatever happens, I will go to-morrow to Tvyerkov's house, interrogate Fidele, and, if possible, seize upon all Medji's letters to her.

November 12th.

At two o'clock in the afternoon I started to find Fidele and interrogate her. I can't endure cabbage; and all the little provision shops in Myeshchanskaya Street simply reek of it; and then there's such a stench from the yard of every house, that I simply held my nose and ran along as fast as ever I could. And then those confounded artizans send out such a lot of soot and smoke from their workshops, that really there's no walking in the street. When I got up to the sixth floor and rang the bell, there came out a girl, not bad-looking, with little freckles. I recognised her; it was the same girl who had walked with the old lady. She grew a bit red, and it flashed upon me at once —" You want a lover, my dear." "What can I do for you?"

Сегодня, однако ж, меня как бы светом озарило: я вспомнил тот разговор двух собачонок, который слышал я на Невском проспекте. "Хорошо, - подумал я сам в себе, - я теперь узнаю все. Нужно захватить переписку, которую вели между собою эти дрянные собачонки. Там я, верно, кое-что узнаю". Признаюсь, я даже подозвал было к себе один раз Меджи и сказал: "Послушай, Меджи, вот мы теперь одни; я, когда хочешь, и дверь запру, так что никто не будет видеть, - расскажи мне все, что знаешь про барышню, что она и как?

Я тебе побожусь, что никому не открою". Но хитрая собачонка поджала хвост, съежилась вдвое и вышла тихо в дверь так, как будто бы ничего не слышала. Я давно подозревал, что собака гораздо умнее человека; я даже был уверен, что она может говорить, но что в ней есть только какое-то упрямство. Она чрезвычайный политик: все замечает, все шаги человека. Нет, во что бы то ни стало, я завтра же отправлюсь в дом Зверкова, допрошу Фидель и, если удастся, перехвачу все письма, которые писала к ней Меджи.

Ноября 12.

В два часа пополудни отправился с тем, чтобы непременно увидеть Фидель и допросить ее. Я терпеть не люблю капусты, запах которой валит из всех мелочных лавок в Мещанской; к тому же из-под ворот каждого дома несет такой ад, что я, заткнув нос, бежал во всю прыть. Да и подлые ремесленники напускают копоти и дыму из своих мастерских такое множество, что человеку благородному решительно невозможно здесь прогуливаться. Когда я пробрался в шестой этаж и зазвонил в колокольчик, вышла девчонка, не совсем дурная собою, с маленькими веснушками. Я узнал ее. Это была та самая, которая шла вместе со старушкою. Она немножко закраснелась, и я тотчас смекнул: ты, голубушка, жениха хочешь. "Что вам угодно?"

"I must have an interview with your lap-dog." The girl was stupid; I saw at once she was stupid. At that moment the dog ran out, barking. I wanted to catch her, but the nasty little thing nearly snapped my nose off. However, I saw her basket in the corner. Ah! that was what I wanted. I went up to it, turned over the straw, and, to my immense delight, pulled out a little packet of tiny papers. Seeing that, the horrid little dog first bit me in the calf of the leg; and then, realising that I had got the papers, began to whine and fawn on me; but I said, "No, my dear! Good-bye!" and rushed away. I think the girl took me for a maniac, for she was terribly frightened. When I got home I wanted to set to work at once and read the letters, because my sight is not very good by candle-light. But of course Mavra had taken it into her head to wash the floor; these idiotic Finns are always cleaning at the wrong time. So I went for a walk to think over the occurrence. Now at last I shall find out all their affairs, all their thoughts, all the wires they are pulled by; these letters will disclose everything to me. Dogs are a clever race, they understand all the political relations; and so, no doubt, everything will be here—this man's portrait and all his affairs. And no doubt there will be something about Her, who . . . Never mind;silence! In the evening I came home. I spent the time lying on my bed.

November 13th.

Now let us see! The letter is fairly legible; but, somehow or other, there is something a little bit doggish about the handwriting. Let's see ;—

MY DEAR FIDELE,—I still have not been able to accustom myself to your vulgar name. Why couldn't they find a better name for you? Fidele, Rosa, what bad taste! However, this is off the point. I am very glad that we have agreed to correspond.

- сказала она. "Мне нужно поговорить с вашей собачонкой". Девчонка была глупа! я ссйчас узнал, что глупа! Собачонка в это время прибежала с лаем; я хотел ее схватить, но, мерзкая, чуть не схватила меня зубами за нос. Я увидал, однако же, в углу ее лукошко. Э, вот этого мне и нужно! Я подошел к нему, перерыл солому в деревянной коробке и, к необыкновенному удовольствию своему, вытащил небольшую связку маленьких бумажек. Скверная собачонка, увидевши это, сначала укусила меня за икру, а потом, когда пронюхала, что я взял бумаги, начала визжать и ластиться, но я сказал: "Нет, голубушка, прощай!" - и бросился бежать. Я думаю, что девчонка приняла меня за сумасшедшего, потому что испугалась чрезвычайно. Пришедши домой, я хотел было тот же час приняться за работу и разобрать эти письма, потому что при свечах несколько дурно вижу. Но Мавра вздумала мыть пол. Эти глупые чухонки всегда некстати чистоплотны. И потому я пошел прохаживаться и обдумывать это происшествие.

Теперь-то наконец я узна'ю все дела, помышления, все эти пружины и доберусь наконец до всего. Эти письма мне все откроют. Собаки народ умный, они знают все политические отношения, и потому, верно, там будет все: портрет и все дела этого мужа. Там будет что-нибудь и о той, которая... ничего, молчание!

К вечеру я пришел домой. Большею частию лежал на кровати.

Ноября 13.

А ну, посмотрим: письмо довольно четкое. Однако же в почерке все есть как будто что-то собачье. Прочитаем:

Милая Фидель, я все не могу привыкнуть к твоему мещанскому имени. Как будто бы уже не могли дать тебе лучшего? Фидель, Роза - какой пошлый тон! однако ж все это в сторону. Я очень рада, что мы вздумали писать друг к другу.

The letter is quite correctly written; there are no mistakes in the stopping, or even in the use of the letter *yaf.* Why, the chief of the section can't write as well as that, although he talks about having been educated in the University. Let's see further on :

It appears to me that to share our thoughts, feelings, and impressions with another is one of the greatest blessings in the world. H'm. . . . That idea is cribbed from some work translated from the German; I can't remember the title.

I say this from experience, although I have seen little of the world beyond the gates of our house. My life passes peacefully and joyously. My mistress, whom papa calls Sophie, loves me passionately.

A'i! A'i! Never mind, never mind; silence!

Papa, too, often caresses me. I drink my tea and coffee with cream. Ah! *ma chere,* I must tell you that I cannot understand what pleasure there can be in the big gnawed bones that our Polkan devours in the kitchen. Bones are only good if they are from game, and if no one has sucked the marrow out of them. It is a very good idea to mix several kinds of sauce together, only there must be no capers or herbs; but I know nothing worse than the custom of rolling bread into little balls and giving it to dogs. Some gentleman, sitting at the table, who has been holding all sorts of nasty things in his hands, will begin rolling a bit of bread with his fingers, and then call you and put it in your mouth. It's impolite to refuse, so you eat it, with disgust, of course, but you eat it.

What the deuce is all this rubbish? As if they couldn't find anything better to write about. Let's look at the next page, perhaps it will be more sensible.

I shall have the greatest pleasure in informing you of all that happens in our house. I have already spoken to you about the principal gentleman whom Sophie calls papa. He is a very strange man.

Письмо писано очень правильно. Пунктуация и даже буква ъ везде на своем месте. Да эдак просто не напишет и наш начальник отделения, хотя он и толкует, что где-то учился в университете. Посмотрим далее:

Мне кажется, что разделять мысли, чувства и впечатления с другим есть одно из первых благ на свете.

Гм! мысль почерпнута из одного сочинения, переведенного с немецкого. Названия не припомню.

Я говорю это по опыту, хотя и не бегала по свету далее ворот нашего дома. Моя ли жизнь не протекает в удовольствии? Моя барышня, которую папа называет Софи, любит меня без памяти.

Ай, ай!.. ничего, ничего. Молчание!

Папа' тоже очень часто ласкает. Я пью чай и кофей со сливками. Ах, ma chere, я должна тебе сказать, что я вовсе не вижу удовольствия в больших обглоданных костях, которые жрет на кухне наш Полкан. Кости хорошо только из дичи, и притом тогда, когда еще никто не высосал из них мозга. Очень хорошо мешать несколько соусов вместе, но только без каперсов и без зелени; но я не знаю ничего хуже обыкновения давать собакам скатанные из хлеба шарики.

Какой-нибудь сидящий за столом господин, который в руках своих держал всякую дрянь, начнет мять этими руками хлеб, подзовет тебя и сунет тебе в зубы шарик. Отказаться как-то неучтиво, ну и ешь; с отвращением, а ешь...

Черт знает что такое! Экой вздор! Как будто бы не было предмета получше, о чем писать. Посмотрим на другой странице. Не будет ли чего подельнее.

Я с большою охотою готова тебя уведомлять о всех бывающих у нас происшествиях. Я уже тебе кое-что говорила о главном господине, которого Софи называет папа'. Это очень странный человек.

Ah, now, at last! Yes, I knew it. They look at all things from a politic point of view. Let us see what there is about papa :—

. . . Strange man. He hardly ever speaks. But a week ago he kept on constantly saying to himself, "Shall I get it or not?" Once he asked me, "What do you think, Medji? Shall I get it or not?" I didn't understand anything about it, so I smelled at his boot and went away. Then, *ma chire,* a week afterwards papa was in the greatest state of delight. The whole morning long gentlemen in uniform came to him and congratulated him on something or other. At table he was merrier than I have ever seen him before.

Ah! so he's ambitious; I must take note of that.

Good-bye, *ma chire*! I run . . . &c. To-morrow I will finish the letter.

Well, good-morning, I am with you again. To-day my mistress, Sophie.

Ah! now we shall see—something about Sophie. Oh! confound it! . . . Never mind ! never mind! Let's go on:

My mistress, Sophie, was in a great muddle. She was getting ready for a ball, and I was very glad she would be out, so that I could write to you. My Sophie is perfectly devoted to balls, although she nearly always gets cross when she's dressing for them. I cannot conceive, *ma chire,*what can be the pleasure of going to balls. Sophie comes home from them at six o'clock in the morning, and nearly always looks so pale and thin that I can see at once they haven't given the poor girl anything to eat there.

А! вот наконец! Да, я знал: у них политический взгляд на все предметы. Посмотрим, что папа':

...очень странный человек. Он больше молчит. Говорит очень редко; но неделю назад беспрестанно говорил сам с собою: "Получу или не получу?" Возьмет в одну руку бумажку, другую сложит пустую и говорит: "Получу или не получу?" Один раз он обратился и ко мне с вопросом: "Как ты думаешь, Меджи получу или не получу?" Я ровно ничего не могла понять, понюхала его сапог и ушла прочь. Потом, ma chere, через неделю папа' пришел в большой радости.

Все утро ходили к нему господа в мундирах и с чем-то поздравляли. За столом он был так весел, как я еще никогда не видала, отпускал анекдоты, а после обеда поднял меня к своей шее и сказал: "А посмотри, Меджи, что это такое".

Я увидела какую-то ленточку. Я нюхала ее, но решительно не нашла никакого аромата; наконец потихоньку лизнула: соленое немного.

Гм! Эта собачонка, мне кажется, уже слишком... чтобы ее не высекли! А! так он честолюбец! Это нужно взять к сведению.

Прощай, ma chere, я бегу и прочее... и прочее... Завтра окончу письмо. Ну, здравствуй! Я теперь снова с тобою. Сегодня барышня моя Софи...

А! ну, посмотрим, что Софи. Эх, канальство!.. Ничего, ничего... будем продолжать.

...барышня моя Софи была в чрезвычайной суматохе. Она собиралась на бал, и я обрадовалась, что в отсутствие ее могу писать к тебе. Моя Софи всегда чрезвычайно рада ехать на бал, хотя при одевании всегда почти сердится. Я никак не понимаю, ma chere, удовольствия ехать на бел. Софи приезжает с балу домой в шесть часов утра, и я всегда почти угадываю по ее бледному и тощему виду, что ей, бедняжке, не давали там есть. Я, признаюсь, никогда бы не

I confess that I couldn't live like that. If I didn't get my woodcock with sauce, or the wing of a roast chicken, I—really I don't know what I should do. I like pudding with sauce, too, but carrots or turnips or artichokes are no good at all.

What an extraordinarily uneven style! One can see at once it wasn't written by a human being; it begins all right and properly, and ends in this doggish fashion. Let's see another letter. This seems rather a long one. H'm, and it isn't dated.

Oh, my dearest, how I feel the approach of spring! My heart beats as if yearning for something. There is a constant singing in my ears, so that I often raise one foot and stand for several moments listening at the doors. I will confide to you that I have many suitors. Oh! if you knew how hideous some of them are! Sometimes there's a great, coarse, mongrel watch-dog, fearfully stupid—you can see it written on his face—who struts along the street and imagines that he's a very important personage and that everybody is looking at him. Not a bit of it! I take no more notice than if I didn't see him at all. Then there's such a frightful mastiff that stops before my window. If he were to stand on his hind paws (which the vulgar creature probably doesn't know how to do) he'd be a whole head taller than my Sophie's papa, who is rather a tali man, and stout too. This blockhead appears to be frightfully impertinent. I growled at him, but he took no notice at all; he didn't even frown. He lolled out his tongue, hung down his monstrous ears, and stared in at the window—like a common peasant! But do you imagine, *ma chire,*that my heart is cold to all entreaties? Ah ! no. If you could see one young beau who jumps across the fence from next door! His name is Trczor. Oh, my dearest! what a sweet muzzle he has!

The devil take it all! What rubbish! And fancy filling up one's letter with nonsense of that kind. Give me a man! I want to see a human being, I demand that spiritual food

могла так жить. Если бы мне не дали соуса с рябчиком или жаркого куриных крылышек, то... я не знаю, что бы со мною было. Хорош также соус с кашкою. А морковь, или репа, или артишоки никогда не будут хорошо...

Чрезвычайно неровный слог. Тотчас видно, что не человек писал. Начнет так, как следует, а кончит собачиною. Посмотрим-ка еще в одно письмецо. Что-то длинновато. Гм! и числа не выставлено.

Ах, милая! как ощутительно приближение весны. Сердце мое бьется, как будто все чего-то ожидает. В ушах у меня вечный шум, так что я часто, поднявши ножку, стою несколько минут, прислушиваясь к дверям. Я тебе открою, что у меня много куртизанов. Я часто, сидя на окне, ассматриваю их. Ах, если б ты знала, какие между ними есть уроды. Иной преаляповатый, дворняга, глуп страшно, на лице написана глупость, преважно идет по улице и воображает, что он презнатная особа, думает, что так на него и заглядятся все. Ничуть. Я даже и внимания не обратила, так как бы и не видала его. А какой страшный дога останавливается перед моим окном! Если бы он стал на задние лапы, чего, грубиян, он, верно, не умеет, - то он бы был целою головою выше папа' моей Софи, который тоже довольно высокого роста и толст собою. Этот болван, должно быть, наглец преужасный. Я поворчала на него, но ему и нуждочки мало. Хотя бы поморщился! высунул свой язык, повесил огромные уши и глядит в окно - такой мужик! Но неужели ты думаешь, ma chere, что сердце мое равнодушно ко всем исканиям, - ах нет... Если бы ты видела одного кавалера, перелезающего через забор соседнего дома, именем Трезора. Ах, ma chere, какая у него мордочка!

Тьфу, к черту!.. Экая дрянь!.. И как можно наполнять письма эдакими глупостями. Мне подавайте человека! Я хочу видеть человека; я требую пищи

that would satisfy my thirsting soul, and instead of that, all this stuff. . . . Let's see another page, perhaps it'll be belter.

Sophie was sitting at the table sewing something. I was looking out of the window, because I like watching the passers-by. Suddenly a footman came in and announced, "Teplov." "Ask him in," cried Sophie, and flew to embrace me. "Oh, Medji, Medji ! if only you knew who it is: a Kammerjunker,[1] dark, and with such eyes! Quite black, and as bright as fire." And she ran away to her room. A minute afterwards there came in a young Kammerjunker, with black whiskers. lie went up to the mirror. set his hair straight, and looked about the room. I growled and sat down in my place. Presently Sophie came in, looking very happy. He clinked his spurs and she bowed. I pretended not to notice anything, and went on looking out of the window, but I turned my head a little on one side and tried to overhear their conversation. Oh, *ma chire,* what rubbish they talked! They talked about how, at a dance, one lady had made a mistake and done the wrong figure; then about how a certain Bobov, with a*jabot* on, looked very like a stork and nearly tumbled down ; then about how a certain Lidina imagines that her eyes are blue, whereas they are green —and so on. I cannot think, *ma chire,* what she finds in her Teplov. Why is she so enchanted with him? . . .

It seems to me, too, that there's something wrong here. It's quite impossible that Teplov could bewitch her so. What comes next?

- той, которая бы питала и услаждала мою душу; а вместо того эдакие пустяки... перевернем через страницу, не будет ли лучше:

...Софи сидела за столиком и что-то шила. Я глядела в окно, потому что я люблю рассматривать прохожих. Как вдруг вошел лакей и сказал: "Теплов" - "Проси, - закричала Софи и бросилась обнимать меня... - Ах, Меджи, Меджи!

Если б ты знала, кто это: брюнет, камер-юнкер, а глаза какие! черные и светлые, как огонь", - и Софи убежала к себе. Минуту спустя вошел молодой камер-юнкер с черными бакенбардами, подошел к зеркалу, поправил волоса и осмотрел комнату. Я поворчала и села на свое место. Софи скоро вышла и весело поклонилась на его шарканье; а я себе так, как будто не замечая ничего, продолжала глядеть в окошко; однако ж голову наклонила несколько набок и старалась услышать. о чем они говорят. Ах, ma chere, о каком вздоре они говорили. Они говорили о том, как одна дама в танцах вместо одной

какой-то фигуры сделала другую; также, что какой-то Бобов был очень похож в своем жабо на аиста и чуть было не упал; что какая-то Лидина воображает, что у ней голубые глаза, между тем как они зеленые, - и тому подобное. "Куда ж, - подумала я сама в себе, - если сравнить камер-юнкера с Трезором!" Небо! какая разница! Во-первых, у камер-юнкера совершенно гладкое широкое лицо и вокруг бакенбарды, как будто бы он обвязал его черным платком; а у Трезора мордочка тоненькая, и на самом лбу белая лысинка. Талию Трезора и сравнить нельзя с камер-юнкерскою. А глаза, приемы, ухватки совершенно не те. О, какая разница! Я не знаю, ma chere, что она нашла в своем Теплове. Отчего она так им восхищается?..

Really, if she can like this Kammerjunker, it seems to me she might as well like the official who sits in papa's study. Oh, *ma chire,* if you knew what a fright he is! Exactly like a tortoise in a bag. . . .

What official can that be?

He has a most peculiar name. He always sits and mends pens. The hair on his head is very much like hay. Papa always sends him on errands instead of the servant. . . .

I believe that beastly little dog is alluding to me.
Now, *is* my hair like hay?

Sophie simply cannot keep from laughing when she looks at him.

You lie, you confounded dog! What an filthy language! As if I didn't know that this is simply a case of envy; as if I didn't know it's an intrigue. It's an intrigue of the chief of the section. The man has sworn implacable hate against me, and now he does everything he can to injure me, to injure me at every step. Well, I'll look at just one more letter, perhaps the affair will explain itself.

MA CHERE FIDELE,—Forgive me for having been so long without writing; I have been in a state of absolute intoxication. It is perfectly true what some writer has said, that love is second life. And then there are great changes going on in our house. The Kammerjunker comes every day now. Sophie is madly in love with him. Papa is very happy. I even heard from our Grig6rii, who sweeps the floors and almost always talks to himself, that there will soon be a wedding, because papa is very anxious to see Sophie married, either to a general, or to a Kammerjunker, or an army colonel.

Мне самому кажется, здесь что-нибудь да не так. Не может быть, чтобы ее мог так обворожить камер-юнкер. Посмотрим далее: Мне кажется, если этот камер-юнкер нравится, то скоро будет нравиться и тот чиновник, который сидит у папа в кабинете. Ах, ma chere, если бы ты знала, какой это урод. Совершенная черепаха в мешке...

Какой же бы это чиновник?..

Фамилия его престранная. Он всегда сидит и чинит перья. Волоса на голове его очень похожи на сено. Папа' всегда посылает его вместо слуги.

Мне кажется, что эта мерзкая собачонка метит на меня. Где ж у меня волоса как сено?

Софи никак не может удержаться от смеха, когда глядит на него.

Врешь ты, проклятая собачонка! Экой мерзкий язык! Как будто я не знаю, что это дело зависти. Как будто я не знаю, чьи здесь штуки. Это штуки начальника отделения. Ведь поклялся же человек непримиримою ненавистью - и вот вредит да и вредит, на каждом шагу вредит. Посмотрим, однако же, еще одно письмо. Там, может быть, дело раскроется само собою.

Ма chere Фидель, ты извини меня, что так давно не писала. Я была в совершенном упоении. Подлинно справедливо сказал какой-то писатель, что любовь есть вторая жизнь. Притом же у нас в доме теперь большие перемены.

Камер-юнкер теперь у нас каждый день. Софи влюблена в него до безумия. Папа' очень весел. Я даже слышала от нашего Григория, который метет пол и всегда почти разговаривает сам с собою, что скоро будет свадьба; потому что папа' хочет непременно видеть Софи или за генералом, или за камер-юнкером, или за военным полковником...

Damn take it all! I can read no more. A Kammerjunker or a general! I should like to become a general myself, not in order to obtain her hand or anything like that—no, I should like to be a general, only to see them put on all their airs and graces and show off all their Court ways ; and then tell them that I don't care a brass farthing for either of them. It really is annoying, confound it all! I tore the silly little dog's letters into bits.

December 3rd.

It cannot be; it's impossible; there sha'n't be a wedding. What if he is a Kammerjunker! That's nothing more than a title; it's not a tangible thing that you can pick up in your hand. Why, his being a Kammerjunker doesn't give him a third eye in the middle of his forehead. After all, his nose is not made of gold; its just like mine or anybody else's; after all, he has it to smell with, not to eat with; to sneeze with, not to cough with. I have often wished to understand what is the cause of all these differences. Why am I a Government clerk? And for what purpose am I a Government clerk? Perhaps I am really a count or a general, and only appear to be a Government clerk. Perhaps I myself don't know what I am. There have been so many cases in history: some ordinary man, not a noble at all, but some common artizan or even peasant, will all of a sudden turn out to be a great lord or baron, or what do you call it? Well, if a peasant can turn out like that, what should a noble turn out? Now, suppose I suddenly come in with a general's uniform on, an epaulette on the right shoulder and an epaulette on the left shoulder, and a blue ribbon across—what will my beauty say, then, ah? What will papa himself say, our director? Oh ! he's a very ambitious man! He's a Freemason;

Черт возьми! я не могу более читать... Все или камер-юнкер, или генерал. Все, что есть лучшего на свете, все достается или камер-юнкерам, или генералам. Найдешь себе бедное богатство, думаешь достать его рукою, - срывает у тебя камер-юнкер или генерал. Черт побери! Желал бы я сам сделаться генералом: не для того, чтобы получить руку и прочее, нет, хотел бы быть генералом для того только, чтобы увидеть, как они будут увиваться и делать все эти разные придворные штуки и экивоки, и потом сказать им, что я плюю на вас обоих. Черт побери. Досадно! Я изорвал в клочки письма глупой собачонки.

Декабря 3.

Не может быть. Враки! Свадьбе не бывать! Что ж из того, что он камер-юнкер. Ведь это больше ничего, кроме достоинство; не какая-нибудь вещь видимая, которую бы можно взять в руки. Ведь через то, что камер-юнкер, не

прибавится третий глаз на лбу. Ведь у него же нос не из золота сделан, а так же, как и у меня, как и у всякого; ведь он им нюхает, а не ест, чихает, а не кашляет. Я неоколько раз уже хотел добраться, отчего происходят все эти разности. Отчего я титулярный советник и с какой стати я титулярный советник? Может быть, я какой-нибудь граф или генерал, а только так кажусь титулярным советником? Может быть, я сам не знаю, кто я таков. Ведь сколько примеров по истории: какой-нибудь простой, не то уже чтобы дворянин, а просто какой-нибудь мещанин или даже крестьянин, - и вдруг открывается, что он какой-нибудь вельможа, а иногда даже и государь. Когда из мужика да иногда выходит эдакое, что же из дворянина может выйти? Вдруг, например, я вхожу в генеральском мундире: у меня и на правом плече эполета, и на левом плече эполета, через плечо голубая лента - что? как тогда запоет красавица моя? что скажет и сам папа, директор наш? О, это большой честолюбец! Это масон,

I'm convinced he's a Freemason; he makes all sorts of pretences, but I noticed at once that he's a Freemason; if he shakes hands with you, he only puts out two fingers. And does anybody suppose that I can't be appointed governor-general this very moment, or a commissary, or something else of the kind? I should like to know why I am a clerk? Why particularly a clerk?

December 5th.

I spent the whole of this morning reading the newspapers. Most extraordinary things are going on in Spain. I can't even quite make them out. It is said that the throne is vacant; that the statesmen in office are in a great dilemma, having to choose an heir apparent; and that this has resulted in disturbances. All this seems to me exceedingly strange. How can the throne be vacant? They say that some donna will succeed to the throne; but a donna cannot be sovereign, it is quite impossible. There must be a king on the throne. They say there is no king; but it cannot happen that there is no king; a State cannot exist without a king. Undoubtedly there is a king, only he is living incognito somewhere or other. It is very likely that he is living there, only he is obliged to hide himself for some family reasons, or on account of some dangers threatened by neighbouring states—France and the other countries. Anyway, there must be some reason.

December 8th.

I had quite made up my mind to go to the Department, but was prevented by various causes and meditations. I could not get the affairs of Spain out of my head. How is it possible that a woman should become sovereign? It will not be permitted.

непременно масон, хотя он и прикидывается таким и эдаким, но я тотчас заметил, что он масон: он если даст кому руку, то высовывает только два пальца. Да разве я не могу быть сию же минуту пожалован генерал-губернатором, или интендантом, или там другим каким-нибудь? Мне бы хотелось знать, отчего я титулярный советник? Почему именно титулярный советник?

Декабря 5.

Я сегодня все утро читал газеты. Странные дела делаются в Испании. Я даже не мог хорошенько разобрать их. Пишут, что престол упразднен и что чины находятся в затруднительном положении о избрании наследника и оттого происходят возмущения. Мне кажется это чрезвычайно странным. Как же может быть престол упразднен? Говорят, какая-то донна должна взойти на престол. Не может взойти донна на престол. Никак не может. На престоле должен быть король. Да, говорят, нет короля, - не может статься, чтобы не было короля.

Государство не может быть без короля. Король есть, да только он где-нибудь находится в неизвестности. Он, статься может, находится там же, но какие-нибудь или фамильные причины, или опасения со стороны соседственных держав, как-то: Франции и других земель, заставляют его скрываться, или есть какие-нибудь другие причины.

Декабря 8.

Я было уже совсем хотел идти в департамент, но разные причины и размышления меня удержали. У меня все не могли выйти из головы испанские дела. Как же может это быть, чтобы донна сделалась королевою? Не позволят этого.

To begin with, England will not allow it. And then the diplomatic affairs of all Europe; the Emperor of Austria. ... I acknowledge that these matters have so upset and unnerved me that I have been utterly unable to settle to anything the whole day. Mavra remarked to me that I was extremely absent-minded at table. And indeed I believe that, while absorbed in meditation, I threw two plates on to the floor and smashed them. After dinner I went for a walk by the hill. I couldn't find out anything worth knowing. Most of the time I lay on my bed and meditated on the affairs of Spain.

Year 2000, *April 43th.*

This day is a day of great solemnity! There is a king in Spain. He has been found. I am the king. It was only to-day that I found it out. It suddenly flashed across me like lightning. I cannot conceive how I could imagine that I was a clerk! How could such a crazy notion get into my head? It's a good thing that nobody thought of putting me into a madhouse. Now all is open before me. I see all as from a mountain summit. But formerly—I can't understand it—formerly everything was in a sort of fog before me. It seems to me that all this results from people imagining that the human brain is situated in the head; that is not the case: it travels on the wind from the direction of the Caspian Sea. First of all, I announced my identity to Mavra. When she heard that before her stood the King of Spain she clasped her hands and half died of terror. The foolish woman had never seen a Spanish king before. However, I did my best to quiet her; and told her that I am not at all angry with her for sometimes cleaning my boots badly. Of course she is one of the common people, and you cannot talk to them of high matters. The reason she was so terrified was because she is quite convinced that all Spanish kings must be like Philip II. But I explained to her that there is no resemblance between me and Philip II. I did not go to the Department. The devil take the Department! No, my friends, you won't catch me now; I am not going to copy your nasty papers.

И, во-первых, Англия не позволит. Да притом и дела политические всей Европы: австрийский император, наш государь... Признаюсь, эти происшествия так меня убили и потрясли, что я решительно ничем не мог заняться во весь день. Мавра замечала мне, что я за столом был чрезвычайно развлечен. И точно, я две тарелки, кажется, в рассеянности бросил на пол, которые тут же расшиблись. После обеда ходил под горы. Ничего поучительного не мог извлечь. Большею частию лежал на кровати и рассуждал о делах Испании.

Год 2000 апреля 43 числа.

Сегодняшний день - есть день величайшего торжества! В Испании есть король. Он отыскался. Этот король я. Именно только сегодня об этом узнал я. Признаюсь, меня вдруг как будто молнией осветило. Я не понимаю, как я мог думать и воображать себе, что я титулярный советник. Как могла взойти мне в голову эта сумасбродная мысль? Хорошо, что еще не догадался никто посадить меня тогда в сумасшедший дом. Теперь передо мною все открыто. Теперь я вижу все как на ладони. А прежде, я не понимаю, прежде все было передо мною в каком-то тумане. И это все происходит, думаю, оттого, что люди воображают, будто человеческий мозг находится в голове; совсем нет: он приносится ветром со стороны Каспийского моря. Сначала я объявил Мавре, кто я. Когда она услышала, что перед нею испанский король, то всплеснула руками и чуть не умерла от страха. Она, глупая, еще никогда не видала испанского короля. Я, однако же, старался ес успокоить и в милостивых словах старался ее уверить в благосклонности, и что я вовсе не сержусь за то, что она мне иногда дурно чистила сапоги. Ведь это черный народ. Им нельзя говорить о высоких материях. Она испугалась оттого, что находится в уверенности, будто все короли в Испании похожи на Филиппа II. Но я растолковал ей, что между мною и Филиппом нет никакого сходства и что у меня нет ни одного капуцина... В департамент не ходил... Черт с ним! Нет, приятели, теперь не заманить меня; я не стану переписывать гадких бумаг ваших!

Marchtober 86th, Between Day and Night.

To-day our usher came to me to insist that I should go to the Department; he said it was more than three weeks since I had been there. I went, just for a joke. The chief of the section thought that I should bow to him and make excuses; but I glanced at him with indifference, neither too sternly nor too graciously, and sat down at my place as if I observed nothing. I looked round at all the rag-tagand-bob-tail, and thought, "Oh! if you knew who is sitting with you. . . . Good heavens! what a fuss there would be! And the chief of the section himself would begin bowing and scraping to me just as he does now to the director." They laid some papers before me, telling me to make an extract; but I did not so much as touch them with a finger. A few minutes afterwards they all began bustling about, saying that the director was coming. Several of the officials hurried out, one after another, to present themselves to him; but I never moved. When he passed through our section they all buttoned up their coats; but I took no notice whatsoever. The director! What's he? Do they. think I'm going to stand up before him? Never! What sort of director is he? He's a dummy, not a director; an ordinary, common dummy, like a dummy in a barber's shop, and nothing else at all. The most amusing thing of all was when they handed me a paper to sign. They thought I was going to write at the very bottom of the sheet, "Clerk So-and-so." I daresay! I signed, in the most conspicuous place, just where the Director of the Department signs, "Ferdinand VIII." It was worth while to see what a reverential silence there was! However, 1 just waved my hand to them and said, "You needn't trouble about tokens of allegiance," and went away. I went straight to the director's house. He was not at home, and the footman did not want to let me in, but I said something to him that made him just collapse.

Мартобря 86 числ, Между днем и ночью.

Сегодня приходил наш экзекутор с тем, чтобы я шел в департамент, что уже более трех недель как я не хожу на должность. Я для шутки пошел в департамент. Начальник отделения думал, что я ему поклонюсь и стану извиняться, но я посмотрел на него равнодушно, не слишком гневно и не слишком благосклонно, и сел на свое место, как будто никого не замечая. Я глядел на всю канцелярскую сволочь и думал: "Что, если бы вы знали, кто между вами сидит... Господи боже! какую бы вы ералашь подняли, да и сам

начальник отделения начал бы мне так же кланяться в пояс, как он теперь кланяется перед директором". Передо мною положили какие-то бумаги, чтобы я сделал из них экстракт. Но я и пальцем не притронулся. Через несколько минут все засуетилось. Сказали, что директор идет. Многие чиновники побежали наперерыв, чтобы показать себя перед ним. Но я ни с места. Когда он проходил чрез наше отделение, все застегнули на пуговицы свои фраки; но я совершенно ничего! Что за директор! чтобы я встал перед ним - никогда! Какой он директор? Он пробка, а не директор. Пробка обыкповенная, простая пробка, больше ничего. Вот которою закупоривают бутылки. Мне больше всего было забавно, когда подсунули мне бумагу, чтобы я подписал. Они думали, что я напишу на самом кончике листа: столоначальник такой-то. Как бы не так! а я на самом главном месте, где подписывается директор департамента, черкнул:

"Фердинанд VIII". Нужно было видеть, какое благоговейное молчание воцарилось; но я кивнул только рукою, сказав: "Не нужно никаких знаков подданничества!" - и вышел. Оттуда я пошел прямо в директорскую квартиру.

Его не было дома. Лакей хотел меня не впустить, но я ему такое сказал, что он и руки опустил.

I went straight into Her dressingroom. She was sitting before the looking-glass, but started up and shrank away from me. I did not tell her, however, that I am the king of Spain; I only told her that there lies before her such happiness as she cannot even imagine; and that, in spite of the snares of our foes, we shall be together. I did not want to say any more than that, and therefore went away. Oh! what a wily being is woman! It is only now I have fully understood what woman really is. Up till now no one has ever known with whom she is in love. I am the first to discover it. Woman is in love with the devil. Yes, it is a fact. Physiologists write all sorts of nonsense; but really she loves no one and nothing but the devil. There, you see, she sits in the dresscircle with her opera-glass; do you think she's looking at that fat man with the star on his breast? Not a bit of it! She's looking at the devil behind his back. The devil is hidden in the fat man's coat. There! he is beckoning to her with his finger! And she'll marry him—she'll certainly marry him! All that comes from ambition; and the cause of ambition is a little blister under the tongue with a tiny worm inside it no bigger than a pin's head; and all that is the doing of a certain hairdresser who lives in the Gorbkhovaya. I can't remember his name; but I know positively that he and a certain midwife are trying to spread Mahometanism throughout the whole world; and it is said that in France the greater part of the population has already accepted the Mahometan faith.

Я прямо пробрался в уборную. Она сидела перед зеркалом, вскочила и отступила от меня. Я, однако же, не сказал ей, что я испанский король. Я сказал только, что счастие ее ожидает такое, какого она и вообразить себе не может, и что, несмотря на козни неприятелей, мы будем вместе. Я больше ничего не хотел говорить и вышел. О, это коварное существо - женщина! Я теперь только постигнул, что такое женщина. До сих пор никто еще не узнал, в кого она влюблена: я первый открыл это. Женщина влюблена в черта. Да, не шутя. Физики пишут глупости, что она то и то, - она любит только одного черта. Вон видите, из ложи первого яруса она наводит лорнет.

Вы думаете, что она глядит на этого толстяка со звездою? Совсем нет, она глядит на черта, что у него стоит за спиною. Вон он спрятался к нему во фрак. Вон он кивает оттуда к ней пальцем! И она выйдет за него. Выйдет. А вот эти все, чиновные отцы их, вот эти все, что юлят во все стороны и лезут ко двору и говорят, что они патриоты и то и се: аренды, аренды хотят эти патриоты! Мать, отца, бога продадут за деньги, честолюбцы, христопродавцы!

Все это честолюбие, и честолюбие оттого, что под язычком находится маленький пузырек и в нем небольшой червячок величиною с булавочную головку, и это все делает какой-то цирюльник, который живет в Гороховой. Я не помню, как его зовут; но достоверно известно, что он, вместе с одною повивальною бабкою, хочет по всему свету распространить магометанство, и оттого уже, говорят, во Франции большая часть народа признает веру Магомета.

No date at all; the day was without any date.

I walked incognito along the Nevsky Prospect, giving no sign at all that I am the king of Spain. I thought it would be a breach of etiquette to disclose my identity to every one now, because, first of all, I must present myself at Court. The only thing that hinders me is the want of a Spanish national costume. I must get hold of some sort of mantle. I thought of ordering one, but the tailors are such absolute donkeys; and then, besides, they have quite neglected their work and taken to speculating. And now they have gone in for paving the streets. I finally decided to make a mantle out of my new uniform, which I have only put on twice; but, for fear these scoundrels should spoil my work, I decided to sit with the dcor locked, so that no one should see me make it. I snipped the uniform all to pieces with the scissors, because it must have quite a different cut.

I don't remember the day, and there wasn't any month.

The devil knows what there was.

The mantle is made and quite ready. Mavra shrieked out when I put it on. I cannot make up my mind, though, to present myself at Court yet. There is still no deputation from Spain; and to present myself without a deputation would be a breach of etiquette. I think it would prejudice my dignity. I expect the deputies every minute.

Никакого числа. День без числа.

Ходил инкогнито по Невскому проспекту. Проезжал государь император. Весь город снял шапки, и я также; однако же не подал никакого вида, что я испанский король. Я почел неприличным открыться тут же при всех; потому, что прежде всего нужно представиться ко двору. Меня останавливало только то, что я до сих пор не имею королевского костюма. Хотя бы какую-нибудь достать мантию. Я хотел было заказать портному, но это совершенные ослы, притом же они совсем небрегут своею работою, ударились в аферу и большею частию мостят камни на улице. Я решился сделать мантию из нового вицмундира, который надевал всего только два раза. Но чтобы эти мерзавцы не могли испортить, то я сам решился шить, заперши дверь, чтобы никто не видал. Я изрезал ножницами его весь, потому что покрой должен быть совершенно другой.

Числа не помню. Месяца тоже не было.

Было черт знает что такое.

Мантия совершенно готова и сшита. Мавра вскрикнула, когда я надел ее.

Однако же я еще не решаюсь представляться ко двору. До сих пор нет депутации из Испании. Без депутатов неприлично. Никакого не будет веса моему достоинству. Я ожидаю их с часа на час.

Number 1st.

I am amazed at the tardiness of the deputies! What can be the cause of their delay? Can it be France? Yes; that is a most objectionable country. I went to the postoffice to inquire whether the Spanish deputies had arrived; but the postmaster was exceedingly stupid, and knew nothing about it. "No," he said, "there are no Spanish deputies here; but if you like to write a letter, we can forward it at the ordinary postage rate." The devil take it! What's the use of a letter? Letters are all nonsense! Apothecaries write letters. . . .

MADRID, *February* 30.

So I am really in Spain; and it all happened so quickly that I can hardly realise it. This morning the Spanish deputies presented themselves to me, and I got into the carriage with them. I was surprised at the great speed with which we travelled. We went so fast that in half an hour we reached the Spanish frontier. For that matter, of course there are railways all over Europe now; and the steamers go tremendously fast. Spain is an extraordinary country! When we went into the first room, I saw a lot of people with shaven heads. I guessed at once that they must be either grandees or soldiers, because they always shave their heads. I was very much struck with the behaviour of the Lord Chancellor, who led me by the hand; he pushed me into a little room, and said, "You sit here; and if you begin calling yourself King Ferdinand, I'll knock that rubbish out of you." But I, knowing that this was nothing more than a trial of my constancy, answered firmly. Whereupon the Chancellor struck me on the back twice with a stick so hard that I nearly cried out, but restrained myself, remembering that in chivalry this was a custom on a man's entering any high office, and that the customs of chivalry are still in force in Spain. Remaining alone, I decided to occupy myself with affairs

Числа 1-го

Удивляет меня чрезвычайно медленность депутатов. Какие бы причины могли их остановить. Неужели Франция? Да, это самая неблагоприятствующая держава.

Ходил справляться на почту, не прибыли ли испанские депутаты. Но почтмейстер чрезвычайно глуп, ничего не знает: нет, говорит, здесь нет никаких испанских депутатов, а письма если угодно написать, то мы примем по установленному курсу. Черт возьми! что письмо? Письмо вздор. Письма пишут аптекари...

Мадрид. Тридцатая февраля.

Итак, я в Испании, и это случилось так скоро, что я едва мог очнуться.

Сегодня поутру явились ко мне депутаты испанские, и я вместе с ними сел в карету. Мне показалась странною необыкновенная скорость. Мы ехали так шибко, что через полчаса достигли испанских границ. Впрочем, ведь теперь по всей Европе чугунные дороги, и пароходы ездят чрезвычайно скоро. Странная земля Испания: когда мы вошли в первую комнату, то я увидел множество людей с выбритыми головами. Я, однако же, догадался, что это должны быть или гранды, или солдаты, потому что они бреют головы. Мне показалось чрезвычайно странным обхождение государственного канцлера, который вел меня за руку; он толкнул меня в небольшую комнату и сказал: "Сиди тут, и если ты будешь называть себя королем Фердинандом, то я из тебя выбью эту охоту". Но я, зная, что это было больше ничего кроме искушение, отвечал отрицательно, - за что канцлер ударил меня два раза палкою по спине так больно, что я чуть было не вскрикнул, но удержался, вспомнивши, что это рыцарский обычай при вступлении в высокое звание, потому что в Испании еще и доныне ведутся рыцарские обычаи. Оставшись один, я решился заняться делами

of State. I discovered that China and Spain are all the same country; it is only from ignorance that people suppose them to be different. I advise every one, as an experiment, to write " Spain " on a piece of paper, and it will come out " China." I was profoundly grieved, though, at an event which is to happen tomorrow. At seven o'clock to-morrow morning there will occur a strange phenomenon: the earth will sit down on the moon. The famous English chemist, Wellington, has written about that I confess that my heart throbbed with anxiety when I pictured to myself the extreme delicacy and fragility of the moon. The thing is that the moon is generally made in Hamburg, and is very badly made. I cannot understand why England takes no notice of the fact. It is made by a lame cooper, who is quite evidently a fool, and understands nothing about the moon at all. He puts in tarred rope and cheap oil; and it makes such an awful stink all over the earth that everybody has to hold their nose. And this makes the moon itself so fragile that people can't live on it at all; and nothing lives on it but noses. That is the reason why we cannot see our own noses, because they are all in the moon. And when I thought what a heavy substance the earth is, and how, by sitting down, it may crush all our noses to powder, I was so overpowered by anxiety that I put on my shoes and socks, and ran into the State Council Chamber, to give orders to the police not to let the earth sit down on the moon. The shaven grandee's, whom I found in the Council Hall in great numbers, proved to be a very sensible people; and when I said, "Gentlemen, we must save the moon, for the earth is going to sit down on it!" they all instantly rushed to fulfil my royal wish; and many tried to climb up the walls to get at the moon. But at that moment the Lord Chancellor came in; and when they saw him they all ran away. I, as king, alone remained. But the Chancellor, to my great amazement, struck me with his stick, and' sent me into my' room.

What an extraordinary power national customs have in Spain!

государственными. Я открыл, что Китай и Испания совершенно одна и та же земля, и только по невежеству считают их за разные государства. Я советую всем нарочно написать на бумаге Испания, то и выйдет Китай. Но меня, однако же, чрезвычайно огорчало событие, имеющее быть завтра. Завтра в семь часов совершится странное явление: земля сядет на луну. Об этом и знаменитый английский химик Веллингтон пишет. Признаюсь, я ощутил сердечное беспокойство, когда вообразил себе необыкновенную нежность и непрочность луны. Луна ведь обыкновенно делается в Гамбурге; и прескверно делается. Я удивляюсь, как не обратит на это внимание Англия. Делает ее хромой бочар, и видно, что дурак, никакого понятия не имеет о луне. Он положил смоляной канат и часть деревянного масла; и оттого по всей земле вонь страшная, так что нужно затыкать нос. И оттого самая луна - такой нежный шар, что люди никак не могут жить, и там теперь живут только одни носы. И по тому-то самому мы не можем видеть носов своих, ибо они все находятся в луне. И когда я вообразил, что земля вещество тяжелое и может, насевши, размолоть в муку носы наши, то мною овладело такое беспокойство, что я, надевши чулки и башмаки, поспешил в залу государственного совета, с тем чтоб дать приказ полиции не допустить земле сесть на луну. Бритые гранды, которых я застал в зале государственного совета великое множество, были народ очень умный, и когда я сказал: "Господа, спасем луну, потому кто земля хочет сесть на нее", - то все в ту же минуту бросились исполнять мое монаршее желание, и многие полезли на стену, с тем чтобы достать луну; но в это время вошел великий канцлер. Увидевши его, все разбежались. Я, как король, остался один. Но канцлер, к удивлению моему, ударил меня палкою и прогнал в мою комнату.

Такую имеют власть в Испании народные обычаи!

January of the same year ; which occured after February.

So far, I cannot make out what sort of country Spain is. The popular customs and Court etiquette are altogether extraordinary. I can't understand them; I can't understand; I simply *cannot*understand. To-day they shaved my head, although I shouted at the top of my voice that I would not consent to be a monk. But what it was like, when they began to drop cold water on to my head, I cannot bear even to remember. I never suffered such a hell in my life. I got into such a state of frenzy that they could scarcely hold me. I can't understand the meaning of this strange custom. It's an utterly stupid and senseless custom! Nor can I make out the foolishness of the kings who have not abolished it before now. Considering all the probabilities of the case, it occurs to me that I must have fallen into the hands of the Inquisition; and the person whom I took for the Chancellor is, no doubt, the Grand Inquisitor himself. Only it is quite incomprehensible how a king can be subject to the Inquisition. It is true, that might happen through the influence of France, and especially of Polignac. Oh, that brute, Polignac! He has sworn to persecute me to the death; and now he hunts and hunts me down. But I know, my friend, whose puppet you are. It's the English that pull the wires. The English are great diplomatists; they worm their way in everywhere. For that matter, all the world knows that when England takes snuff France sneezes.

Date 25.

To-day the Grand Inquisitor came into my room, but, hearing his steps approaching, I hid myself under a chair; and not seeing me, he began to call out. First of all he called, "Poprlshchin!" I held my tongue. Then, "Aksentyi Ivanovich!

Январь того же года, случившийся после февраля.

До сих пор не могу понять, что это за земля Испания. Народные обычаи и этикеты двора совершенно необыкновенны. Не понимаю, не понимаю, решительно

не понимаю ничего. Сегодня выбрили мне голову, несмотря на то что я кричал изо всей силы о нежелании быть монахом. Но я уже не могу и вспомнить, что было со мною тогда, когда начали мне на голову капать холодною водою. Такого ада я еще никогда не чувствовал. Я готов был впасть в бешенство, так что едва могли меня удержать. Я не понимаю вовсе значения этого странного обычая. Обычай глупый, бессмысленный! Для меня непостижима безрассудность королей, которые до сих пор не уничтожают его. Судя по всем вероятиям, догадываюсь: не попался ли я в руки инквизиции, и тот, которого я принял за канцлера, не есть ли сам великий инквизитор. Только я все не могу понять, как же мог король подвергнуться инквизиции. Оно, правда, могло со стороны Франции, и особенно Полиняк. О, это бестия Полиняк! Поклялся вредить мне по смерть. И вот гонит да и гонит; но я знаю, приятель, что тебя водит англичанин. Англичанин большой политик. Он везде юлит. Это уже известно всему свету, что когда Англия нюхает табак, то Франция чихает.

Число 25

Сегодня великий инквизитор пришел в мою комнату, но я, услышавши еще издали шаги его, спрятался под стул. Он, увидевши, что нет меня, начал звать. Сначала закричал: "Поприщин!" - я ни слова. Потом: "Аксентий Иванов!

Government official! Nobleman!" I remained silent. "Ferdinand VIII., King of Spain!" I was just going to put out my head, but I thought, "No, my friend, you won't catch me that way. I know what you are after: you'll be pouring cold water on to my head again." However, he saw me, and drove me out from under the chair with a stick. It's most extraordinary how that confounded stick hurts! Ab, well! my last discovery repays me for all. I have found out that every cock has a Spain of its own hidden away under its feathers. The Grand Inquisitor went away very angry, and threatening me with some kind of punishment; but I remained completely indifferent to his impotent rage, knowing that he acts as a mere machine, as the tool of England.

Date. Month year / February 349

No; I can endure no more. Good God! what things they do to me! They pour cold water on to my head! They neither see, nor hear, nor understand me. What have I done to them? Why do they torment me so? Alas! what would they have of me? What can I give them, I that have nothing? It is too much; I cannot bear all this misery. My head burns, and everything whirls before me. Save me! take me! Give me steeds swifter than the hurricane. Come, come, my yamshchik ![1] Ring, my sledge-bells! Bound, my noble steeds, and bear me from this world! On, on, that I may see no more, no more! See! the heavens whirl before me; a star gleams in the distance; the forest rushes past, with the moon and the dark trees; the blue mist is unrolled beneath my feet; and through the mist I hear the vibration of a string. On one side of me is the sea, on the other side is Italy. . . . Ah, and there are Russian cottages! Is that my house in the blue distance? Is that my mother that sits beside the window?

титулярный советник! дворянин!" Я все молчу. "Фердинанд VIII, король испанский!" Я хотел было высунуть голову, но после подумал: "Нет, брат, не надуешь! знаем мы тебя: опять будешь лить холодную воду мне на голову".

Однако же он увидел меня и выгнал палкою из-под стула. Чрезвычайно больно бьется проклятая палка. Впрочем, за все это вознаградило меня нынешнее открытие: я узнал, что у всякого петуха есть Испания, что она у него находится под перьями. Великий инквизитор, однако же, ушел от меня разгневанный и грозя мне каким-то наказанием. Но я совершенно пренебрег его бессильною злобою, зная, что он действует, как машина, как орудие англичанина.

Чи 34 сло Мц гдао, февраль 349.

Нет, я больше не имею сил терпеть. Боже! что они делают со мною! Они льют мне на голову холодную воду! Они не внемлют, не видят, не слушают меня.

Что я сделал им? За что они мучат меня? Чего хотят они от меня, бедного? Что могу дать я им? Я ничего не имею. Я не в силах, я не могу вынести всех мук их, голова горит моя, и все кружится предо мною. Спасите меня! Возьмите меня! дайте мне тройку быстрых, как вихорь, коней! Садись, мой ямщик, звени, мой колокольчик, взвейтеся, кони, и несите меня с этого света! Далее, далее, чтобы не видно было ничего, ничего. Вон небо клубится передо мною; звездочка сверкает вдали; лес несется с темными деревьями и месяцем; сизый туман стелется под ногами; струна звенит в тумане; с одной стороны море, с другой Италия; вон и русские избы виднеют. Дом ли то мой синеет вдали? Мать ли моя сидит перед окном?

Oh, mother, save thy wretched son! Weep one tear over his fallen head! See how he is wronged and tormented! Clasp thy sad orphan to thy breast! He is driven and hunted down! There is no place for him on earth! Mother, have pity on thy weary child! . . . But *do* you know that the Dey of Algiers[1] has a wart just under his nose?

---

[1] "Dey" was the title of the rulers of Algeria under the Ottoman Empire.

Матушка, спаси твоего бедного сына! урони слезинку на его больную головушку! посмотри, как мучат они его! прижми ко груди своей бедного сиротку! ему нет места на свете! его гонят! Матушка! пожалей о своем больном дитятке!.. А знаете ли вы, что Дей Алжира имеет бородавка под носом?

Lightning Source UK Ltd.
Milton Keynes UK

173531UK00009B/156/P

9 780983 150336